CANLLAW BACH
SHELDON I

FFOBIA
A PHANIG

Yr Athro
Kevin Gournay

Cyhoeddwyd gyntaf yng Nghymru yn 2019

Cyhoeddwyd gyntaf ym Mhrydain yn 2015
Gwasg Sheldon
36 Causton Street
Llundain SW1P 4ST
www.sheldonpress.co.uk

Dymuna'r cyhoeddwyr gydnabod cymorthariannol
Cyngor Llyfrau Cymru

Mae'r awdur a'r cyhoeddwr wedi gwneud pob ymdrech i sicrhau
bod cyfeiriadau gwefannau allanol a chyfeiriadau e-bost a gynhwysir
yn y llyfr hwn yn gywir ac yn gyfoes wrth iddo fynd i'r wasg.
Nid yw'r awdur a'r cyhoeddwr yn gyfrifol am gynnwys,
ansawdd na pharhad hygyrchedd y safleoedd.

Data Catalogio Wrth Gyhoeddi y Llyfrgell Brydeinig
Mae cofnod catalog ar gyfer
y llyfr hwn ar gael o'r Llyfrgell Brydeinig

ISBN: 978 1 78461 779 0

Cyhoeddwyd a rhwymwyd gan
Y Lolfa Cyf., Talybont, Ceredigion SY24 5HE
gwefan www.ylolfa.com
e-bost ylolfa@ylolfa.com
ffôn 01970 832 304
ffacs 832 782

Cynnwys

Cyflwyniad

Cyflwyniad

'Mae ofn yn normal.' Mae'n siŵr fy mod i'n defnyddio'r geiriau hyn bob tro y byddaf yn gweld cleient newydd sy'n dod ataf oherwydd panig neu orbryder ffobig. Fel llawer o ffenomenau normal, y broblem gydag ofn yw y gall fynd y tu hwnt i reolaeth. Gall ofn ddatblygu'n ffobia, felly bydd presenoldeb gwrthrych penodol neu fod mewn sefyllfa arbennig yn arwain at lefel o ofn sy'n annymunol ac yn llethol ac yn gwneud i chi ddymuno dianc oddi wrtho cyn gynted ag y gallwch chi. Yn yr un modd, gall y 'nerfusrwydd' y mae pawb yn ei deimlo o dro i dro dyfu i'r fath raddau fel y bydd cymysgedd o deimladau corfforol a meddyliau mor ddwys yn ein llethu. Byddwn wedyn yn teimlo bod trychineb ar fin digwydd – ein bod ar fin marw, neu golli rheolaeth a mynd yn wallgof.

Mae ofn yn rhan hanfodol o'n bywydau ni i gyd. Erbyn meddwl, byddai pobl *heb* ofn yn cael eu lladd y tro cyntaf y bydden nhw'n croesi ffordd. Gofynnwch i chi'ch hun: 'Ydy profi rhywfaint o ofn a phryder yn normal?' Os mai'r dewis yw cerdded i lawr ffordd olau neu dorri ar draws llwybr tywyll yn hwyr y nos, beth sy'n ein hatal rhag dewis y llwybr mwy peryglus? Ein galluogi i oroesi yw swyddogaeth ofn: mae'n ein hamddiffyn rhag dewis yn annoeth a cherdded ar hyd y llwybr tywyll yn hytrach na cherdded ar hyd y ffordd olau. Mae ofn hefyd yn ein hamddiffyn mewn ystyr corfforol. Mae hormon ofn – adrenalin – yn paratoi ein corff i ymateb i sefyllfaoedd drwy 'ymladd neu ffoi'.

Gall ffobia a phanig ddigwydd pan fydd ofn yn mynd yn drech na ni, ac rwy'n ymdrin â'r ddau bwnc yma gyda'i gilydd gan fod cysylltiad annatod rhyngddyn nhw'n aml. Mae'r rhan fwyaf o bobl â ffobiâu rwy'n eu gweld mewn clinigau cleifion allanol yn cael pyliau o banig. Gall patrwm eu panig ddatblygu'n gymaint o broblem â'r ffobia. Yn y llyfr hwn, rwy'n disgrifio rhaglen hunangymorth a gynlluniais dros 15 mlynedd yn ôl. Mae hon wedi profi ei gwerth.

Mae **dod i gysylltiad â** rhywbeth (*exposure*) yn ymadrodd allweddol. I gael gwared ar ofnau ffobig o'ch bywyd, mae angen i chi eu hwynebu ac mae'r canllaw bach hwn yn eich dysgu sut i wneud hynny.

Mae pwyslais ar ddwy egwyddor:

1 mae angen dod i gysylltiad â ffobiâu a phanig gam wrth gam, a chithau'n cynyddu eich ymdrechion yn raddol

2 dylai'r cysylltiad fod ar lefel sy'n anodd i chi, ond yn un y gallwch ymdopi â hi. Os byddwch chi'n ceisio gwthio'ch hun yn rhy bell, byddwch yn siŵr o faglu.

Rhaid i mi bwysleisio na fydd pob ateb yn y llyfr hwn. Fodd bynnag, rwy'n gobeithio y gallaf eich rhoi ar ben ffordd, o leiaf, wrth eich helpu chi i helpu eich hun.

Rhan 1

FFOBIA A PHANIG –
Y FFEITHIAU

Categorïau cyflyrau gorbryder

Mae ffobiâu a phanig yn **gyflyrau gorbryder**. Gellir rhannu cyflyrau gorbryder yn grwpiau fel a ganlyn:

- ffobiâu syml (penodol)
- ffobia cymdeithasol neu anhwylder gorbryder cymdeithasol
- panig ac anhwylder panig
- agoraffobia gydag anhwylder panig a hebddo
- cyflyrau gorbryder cyffredinol.

Pa mor gyffredin yw ofnau a ffobiâu?

Yn fras, mae gan un o bob deg o'r boblogaeth ffobia a fyddai'n ddigon difrifol i gyfiawnhau ei drin. Mae ffobia cymdeithasol gan tua 4 y cant o'r boblogaeth, ac agoraffobia neu symptomau agoraffobig gan tua 5 y cant. Bydd tua un o bob tri o'r boblogaeth yn cael pwl o banig ar ryw adeg yn ystod eu bywydau.

Mae'n amlwg, felly, fod cyflyrau gorbryder, o bob lliw a llun, yn gyffredin iawn ac nad oes angen teimlo unrhyw gywilydd ohonyn nhw. Nid yw bod yn orbryderus yn golygu eich bod yn llwfr neu'n wan. Rydw i wedi cael y fraint, yn fy mywyd proffesiynol, o gwrdd â miloedd o bobl â chyflyrau gorbryder. Nid oes gen i ond edmygedd atynt gan fod cymaint ohonynt wedi dangos y fath ddewrder a fyddai y tu hwnt i mi, ac maen nhw'n cyfrannu cymaint i'n cymuned er gwaethaf eu hofnau.

Yn aml, mae pobl sydd â'r cyflyrau hyn yn profi ffobiâu a phyliau panig y mae angen eu trin. Ond gadewch i ni'n gyntaf droi ein sylw at gyflyrau gorbryder.

Ffobiâu syml (penodol)

Diffiniad posibl o ffobia yw ofn amlwg neu barhaus sy'n ormodol, yn afresymol neu'n anghymesur â'r perygl sy'n perthyn i'r sefyllfa neu'r gwrthrych.

Ym mwyafrif helaeth yr achosion, mae'r person yn ymwybodol bod yr ofn sy'n gysylltiedig â'r ffobia yn ormodol ac/neu'n afresymol ac fe allai gyfaddef ei fod yn teimlo'n wirion neu'n teimlo cywilydd o gyfaddef bod ganddo broblem. Gall bron pob gwrthrych neu sefyllfa y gallwch feddwl amdanynt ddod yn destun ffobia.

Mae ffobia syml yn aml yn dechrau yn gynnar iawn yn ystod plentyndod ac mae llawer o'r bobl rwy'n eu gweld yn dweud wrthyf, 'Mae'r ofn yma wedi bod arna i erioed.' Gan amlaf nid oes rheswm clir dros y ffobia, ond weithiau mae'n dechrau ar ôl digwyddiad trawmatig penodol.

Nid yw'r ymadrodd 'ffobia syml' o reidrwydd yn awgrymu bod pob ffobia syml yn un ysgafn. Gall rhai ffobiâu syml achosi ofn mawr a straen eithafol, a chyfyngu'n ddifrifol ar fywyd pob dydd.

Dylwn ddweud hefyd nad yw ffobia syml, weithiau, mor syml â hynny! Gallant fod yn eithaf cymhleth ac arwain at ymddygiadau eilaidd, fel tsiecio a bod yn fwy gofalus nag arfer. Mae hyn yn arbennig o wir yn achos ffobiâu sy'n ymwneud â mellt a tharanau neu â chwydu. Yn ogystal, nid yw rhai ffobiâu syml mewn gwirionedd yn syml nac yn ddigwyddiadau achlysurol, ond yn hytrach maent yn ganolog i amrywiaeth o broblemau eraill sy'n gysylltiedig â gorbryder. Hefyd, gallant fodoli ochr yn ochr â ffobiâu eilaidd eraill a chyflwr mwy cyffredinol o orbryder a phanig.

Nid oes modd i mi sôn yn y llyfr hwn am bob ffobia dan haul, gan y byddai rhestr o'r fath yn cynnwys, yn llythrennol, filoedd o wrthrychau a sefyllfaoedd. Ni fyddaf chwaith yn ceisio rhoi enw i bob ffobia. Er enghraifft, rwy'n gwybod mai 'paraskevidekatriaphobia' yw'r enw penodol am ofni dydd Gwener y 13eg – mae'r gair hwn yn tarddu o'r Roeg – ond mae'n annhebygol y bydd angen i chi wybod hynny. Yn wir, nid wyf erioed wedi gweld neb â'r ffobia hwn!

Er hynny, mae rhai o'r ffobiâu syml cyffredin yn cynnwys:

- anifeiliaid
- hedfan
- uchder
- tywydd
- ofn deintyddion
- chwydu
- gwaed, anafiadau a phigiadau
- salwch, gorbryder iechyd neu hypocondriasis

Ffobia cymdeithasol neu anhwylder gorbryder cymdeithasol

Mae syniad rhywun cyffredin bod ffobia cymdeithasol yn fath o swildod, i ryw raddau, yn gywir. Gan amlaf, fodd bynnag, mae'n llawer mwy na dim ond swildod.

Diffiniad Cymdeithas Seiciatrig America o ffobia cymdeithasol yw ofn amlwg a pharhaus o un neu ragor o sefyllfaoedd cymdeithasol neu berfformiad – hynny yw, pan fydd rhywun yn dod i gysylltiad â phobl anghyfarwydd neu pan fydd pobl eraill yn craffu arno. Mae ofnau o'r fath yn hynod gyffredin, ond oherwydd eu hunion natur (maen nhw'n ymwneud yn bennaf â chywilydd neu embaras), nid ydynt wedi'u cofnodi'n ddigonol ac mae llawer o bobl yn byw gyda'u hofnau gydol eu hoes.

Gall pobl encilio o unrhyw ymwneud cymdeithasol a mynd yn bobl unig, a'r ffordd honno o fyw yn aml yn arwain at iselder.

Mae llawer o bobl sydd ag ofnau agoraffobig hefyd yn aml yn profi ffobia cymdeithasol i raddau helaeth ac mae'r ddau gyflwr yn gorgyffwrdd yn sylweddol â'i gilydd. Yn wir, mae ffobiâu cymdeithasol yn aml yn mynd law yn llaw â phroblemau iechyd meddwl eraill.

Panig ac anhwylder panig

Mae panig yn gysyniad anodd iawn ei ddiffinio'n ddigonol. Un o'r problemau yw bod pawb yn wahanol a gall yr hyn sy'n bwl o banig i un person fod yn ddim ond lefel uchel iawn o orbryder i rywun arall. Efallai mai'r diffiniad ymarferol gorau o banig yw cyflwr, ym meddwl yr un dan sylw, lle mae'r gorbryder y tu hwnt i reolaeth. Yn aml, mae panig a ffobia yn cydblethu.

Diffiniad Cymdeithas Seiciatrig America o banig yn ei *Diagnostic and Statistical Manual of Mental Disorders* (APA, 2000) yw, 'cyfnod o anghysur dwys, gyda phedwar neu ragor o'r symptomau canlynol yn datblygu'n ddisymwth ac yn cyrraedd eu hanterth cyn pen deng munud'. Y symptomau hyn yw:

- chwysu
- crynu neu ysgwyd
- crychguriadau (*palpitations*), y galon yn curo'n drwm neu'n gyflymach
- teimladau o ddiffyg anadl neu fygu
- teimladau o dagu
- poen neu anghysur yn y frest
- cyfog neu anghysur yn yr abdomen
- pendro, teimlo'n simsan, yn benysgafn, neu ar fin llewygu
- teimlo'n afreal ac wedi'ch gwahanu oddi wrthych eich hun
- ofn colli rheolaeth neu fynd yn wallgof
- ofn marw
- teimlo pinnau bach neu golli teimlad
- rhynnu neu chwiwiau poeth.

Mae llawer o bobl yn profi hyd at bump, saith neu hyd yn oed bob un o'r 13, nid dim ond pedwar o'r symptomau hyn!

Bydd y rheini sy'n cael pyliau o banig yn gwybod eu bod yn gyfuniad o symptomau fel yr uchod sy'n gwneud iddyn nhw deimlo bod rhywbeth ofnadwy ar fin digwydd. Efallai mai'r teimlad o golli rheolaeth yw'r un pennaf. Oherwydd bod pyliau o banig yn achosi'r fath wewyr, disgwyl y panig sy'n rheoli bywydau llawer o bobl, yn hytrach na'r panig ei hun – mae ofn ofn arnyn nhw.

Mae rhai'n profi cyfnodau pan fydd y pyliau o banig yn ffyrnig ac yna'n diflannu heb reswm penodol.

Gall cael pyliau o banig ddydd ar ôl dydd, fel sy'n digwydd i rai, arwain at ddigalondid a blinder corfforol. Yn y pen draw, gall rhai ddatblygu iselder. Canlyniad posibl arall pyliau tymor hir o banig yw dod yn ddibynnol ar gyffuriau ac alcohol. Yn ôl fy ngwaith ymchwil rai blynyddoedd yn ôl, roedd un o bob pump a oedd wedi cael pyliau o banig ac agoraffobia yn defnyddio alcohol ar lefelau peryglus o uchel. Cadarnhaodd astudiaethau tebyg yn y Deyrnas Unedig ac yn yr Unol Daleithiau y canfyddiadau hyn. Gweler tudalen 63 am ragor o wybodaeth am sut i ddelio ag alcohol.

Panig digymell

Mae'r prosesau seicolegol a chemegol sydd wrth wraidd pyliau o banig yn gymhleth. I rai, efallai y bydd rheswm dros y panig, fel ffobia cyfarwydd. Fodd bynnag, i eraill maen nhw'n ymddangos yn hollol annisgwyl heb unrhyw reswm amlwg.

Yn gyffredinol, mae nifer o bobl sy'n cael pyliau o banig yn profi llawer mwy o gynnwrf ffisiolegol na'r boblogaeth gyffredinol ac mae fel petaent yn cynhyrchu adrenalin yn fwy parod nag eraill. Gall unigolion o'r fath fod yn sensitif i ffactorau ffisiolegol eraill hefyd, sy'n gwneud eu system gynnwrf hyd yn oed yn fwy agored i niwed – er enghraifft, bod â chwant bwyd, yn flinedig neu'n brin o gwsg. Mae rhai menywod yn cael pyliau o banig ar adegau penodol yng nghylchred eu mislif a gall ddigwydd i eraill yn sgil newidiadau hormonaidd adeg diwedd y mislif.

Mae llawer o bobl yn fwy tebygol o gael pyliau o banig sy'n ymddangos yn ddigymell y diwrnod ar ôl iddyn nhw yfed gormod o alcohol neu gymryd cyffuriau.

Agoraffobia gydag anhwylder panig neu hebddo

Mae agoraffobia yn gyflwr lle mae gorbryder yn digwydd mewn mannau neu sefyllfaoedd penodol lle mae pobl yn teimlo y gallai dianc ohonynt fod yn anodd neu'n embaras, neu lle na fyddai cymorth ar gael yn rhwydd, efallai. Mae hyn wedyn yn eu harwain at osgoi mynd allan fel na fydd yn rhaid iddynt wynebu'r gorbryder mae'r lleoedd neu'r sefyllfaoedd hyn yn ei achosi, weithiau i'r fath raddau fel eu bod yn mynd yn gaeth i'r tŷ.

Mae nifer o ofnau gan y rheini sydd ag agoraffobia. Gallai'r rhain gynnwys, er enghraifft, bod oddi cartref, bod mewn torf, teithio ar drafnidiaeth gyhoeddus, bod mewn car, sefyll mewn rhes, croesi pont ac yn y blaen. Fydd rhai pobl ddim ond yn cael pyliau o banig wrth wynebu'r sefyllfaoedd hyn neu pan fyddant yn eu rhagweld. Gall eraill, ar y llaw arall, ddioddef pyliau o banig rheolaidd ac annisgwyl sydd fel petaent yn digwydd yn ddigymell. Er enghraifft, weithiau, byddant yn eistedd gartref yn gwylio'r teledu'n dawel neu'n gwneud gweithgareddau cymharol hamddenol, pan fydd teimladau o banig yn datblygu, weithiau'n raddol, weithiau'n sydyn.

Mae agoraffobia fel arfer yn dechrau'n gynnar ym mywyd oedolyn, rhwng 20 a 30 oed. Weithiau mae'n dechrau'n sydyn iawn, ond gan amlaf mae'r cyflwr yn datblygu'n raddol ac mewn rhai achosion mae'n arwain at broblemau eilaidd, fel diffyg hunan-barch, problemau priodasol ac iselder.

Gall rhywun brofi symptomau corfforol fel crychguriadau, chwysu, ceg sych, y coluddion yn gorweithio a chryndod corfforol.

Mae goranadlu'n achosi symptomau ychwanegol (gweler Pennod 7) sy'n gallu bod yn ddychrynllyd iawn. Mae'r rhain yn cynnwys pinnau bach, dylyfu gên, ochneidio, teimlo'n benysgafn, teimlo eich bod yn methu anadlu ac, mewn rhai achosion, y cyhyrau'n gwingo. Gall person ofni ei fod ef neu hi'n datblygu clefyd fel canser neu sglerosis ymledol neu ei fod ef neu hi ar fin llewygu a marw.

Gall pobl ag agoraffobia hefyd boeni am golli rheolaeth yn sydyn, mynd yn wallgof neu lewygu, rhedeg yn wyllt, chwydu neu ddechrau gwlychu a baeddu'u hunain.

Mae'r rhan fwyaf o bobl yn gwybod bod eu hofnau'n afresymol. Serch hynny, pan ddaw'r pyliau o banig neu wrth iddynt wynebu sefyllfa sy'n sbarduno ofn, maent yn methu rheoli na diystyru eu hofnau. Felly, maent yn teimlo mai dianc rhag y sefyllfa neu'r peth sy'n achosi'r ffobia yw'r unig ateb.

Yn ogystal ag ofnau penodol, byddai llawer o bobl ag agoraffobia yn eu disgrifio'u hunain fel pobl sy'n gofidio'n naturiol ac sy'n aml yn rhagweld pob math o ddigwyddiadau yn eu bywydau gyda gorbryder. Mae problemau iechyd meddwl sylweddol eraill gan rai pobl sydd ag agoraffobia. Gallai'r rhain gynnwys y prif anhwylderau iselder, ffobia cymdeithasol neu anhwylder gorfodaeth obsesiynol (OCD: *obsessive-compulsive disorder*).

Gall cymaint ag un o bob wyth ohonom fod ag ofn agoraffobig neu ddau. Er enghraifft, mae nifer o bobl yn osgoi teithio ar drenau tanddaearol neu sefyllfaoedd amrywiol eraill oherwydd gorbryder.

Cyflyrau gorbryder cyffredinol

Mae'r rhan fwyaf ohonom wedi cael y profiad o deimlo'n orbryderus neu'n ofnus tu hwnt am ddigwyddiad teuluol sydd ar y gorwel neu newid yn y gwaith. Fodd bynnag, mae cyflwr gorbryder cyffredinol (a elwir weithiau'n **anhwylder gorbryder cyffredinol** (*generalized anxiety disorder*)) yn wahanol i'r teimladau normal hyn ac mae'n golygu gorbryder a phoeni gormodol sy'n ymyrryd ag agweddau amrywiol ar fywydau pobl. Mae gorbryder cyffredinol o'r fath yn aml yn cyd-fynd â ffobïau, rhai syml a rhai cymhleth.

Dyma chwe symptom canolog cyflyrau gorbryder cyffredinol:

- aflonyddwch
- blino'n rhwydd

- anhawster canolbwyntio neu gofio
- bod yn bigog
- tensiwn yn y cyhyrau
- methu cysgu.

Gall cyflyrau gorbryder cyffredinol arwain at amharu'n fawr ar agweddau cymdeithasol a galwedigaethol ar fywyd ac ar feysydd eraill bywyd. Mae'r cyflwr yn aml yn gwaethygu nes bod pobl yn teimlo'n hollol ddigalon ac isel.

Er bod rhai, i raddau, wedi eu geni'n orbryderus ac efallai wedi bod â thuedd i orbryderu ar hyd eu hoes, mae rhai cyflyrau gorbryder cyffredinol yn cael eu sbarduno gan ddigwyddiadau yn eu bywydau. Gallai'r rhain fod yn swydd sy'n achosi straen, perthynas wael neu newid mawr yn eu bywydau. Cyn hynny, efallai fod y rheini sydd wedi'u heffeithio wedi bod yn dawel a digynnwrf.

O dro i dro, gall pobl brofi lefelau uchel o orbryder sydd bron yn barhaus, ond efallai na fydd cyflwr o'r fath yn datblygu'n banig llawn. Yn yr un modd, er y gall y gorbryder fod yn ddifrifol, mae pobl yn aml yn parhau â'u trefn arferol, heb geisio osgoi unrhyw sefyllfaoedd penodol. Rydym yn gwybod bod cyflyrau gorbryder fel y rhain yn mynd trwy gyfnodau ac weithiau bydd ysbeidiau o dawelwch cymharol yn dod.

Mae pobl â gorbryder cyffredinol yn aml yn profi blinder mawr a byddant yn cael diagnosis o syndrom blinder cronig. Yn anffodus, mae llawer o bobl sydd wedi cael y diagnosis hwn yn orbryderus, mewn gwirionedd, ac nid yw hynny'n cael ei reoli'n iawn.

Anhwylderau eraill
sy'n gysylltiedig â gorbryder

Mae'n rhaid i mi sôn hefyd am dri chyflwr arall y mae ffobiâu ac ymddygiad ffobig yn rhannau pwysig ohonyn nhw, ac sydd angen eu trin yn aml ynddynt eu hunain, sef:

- anhwylder straen wedi trawma
- anhwylder gorfodaeth obsesiynol
- anhwylder dysmorffig y corff.

Anhwylder straen wedi trawma

Mae'r diffiniad meddygol o anhwylder straen wedi trawma (**PTSD**: *post-traumatic stress disorder*) yn pwysleisio'i fod yn ganlyniad profi digwyddiad trawmatig. Mae **PTSD** yn cynnwys ystod o symptomau. Yn aml iawn mae pobl yn profi'r un atgofion, breuddwydion ac ôl-fflachiadau annymunol dro ar ôl tro, mae eu hymateb cyffredinol i bopeth yn pylu, neu maent yn profi ddiffyg diddordeb sylweddol yn eu gweithgareddau arferol. Yn aml iawn hefyd mae pobl yn cwyno'u bod yn teimlo eu bod wedi'u datgysylltu neu wedi'u gwahanu oddi wrth eraill ac yn methu gweld unrhyw ddyfodol iddynt eu hunain. Mae symptomau eraill yn cynnwys tarfu ar eu cwsg, teimlo'n bigog neu'n ddig, ac anhawster canolbwyntio.

Symptom mwyaf cyffredin PTSD yw gorbryder sy'n hollbresennol, ynghyd ag osgoi nifer o sefyllfaoedd amrywiol.

Anhwylder gorfodaeth obsesiynol

Mae anhwylder gorfodaeth obsesiynol yn un o'r cyflyrau gorbryder sy'n arwain yn aml at byliau o banig ac ymddygiad osgoi. Mae sawl ffurf ar yr anhwylder hwn, ond yn y bôn mae'n cynnwys meddyliau annymunol, ailadroddus a gofidus, neu'r teimlad o orfod gwneud rhywbeth, fel golchi dwylo'n aml neu tsiecio neu ailadrodd gweithgaredd.

Anhwylder dysmorffig y corff

Cafodd y term anhwylder dysmorffig y corff (**BDD**: *body dysmorphic disorder*) ei fathu gan Gymdeithas Seiciatrig America yn 1994 i ddisgrifio pobl sy'n gofidio'n barhaus am nam dychmygol o ran sut maen nhw'n edrych. Mae'n cael ei briodoli hefyd i achosion pobl sydd â mân amrywiad corfforol ac sy'n gofidio'n barhaus ac yn anghymesur amdano.

Achosion a thriniaethau

Adrenalin: hormon ymladd neu ffoi

Hormon yw adrenlin neu epineffrin a gynhyrchir gan y ddwy chwarren adrenal sydd ar ben pob aren.

Swyddogaeth adrenalin yw paratoi'r corff ar gyfer gweithredu ac at weithgaredd i ymateb i sefyllfaoedd peryglus. Mae'n gwneud hyn trwy gynyddu'r cyflenwad o ocsigen a glwcos i'r ymennydd a'r cyhyrau ac atal prosesau corfforol eraill nad ydynt yn gwbl angenrheidiol. Felly, mae adrenalin yn cynyddu'r anadl, cyfradd curiad y galon a phwysedd gwaed. Mae'n gwneud i gannwyll y llygad ymledu fel y gallwn weld cymaint ag sy'n bosibl o'n cwmpas. Mae hefyd yn ysgogi'r ymateb cyntefig o gyfangu'r cyhyrau ar waelod pob blewyn fel bod 'gwallt eich pen yn codi'. Mewn anifeiliaid, mae'r ymateb hwn i berygl yn golygu bod yr anifail yn edrych yn fwy ffyrnig, sy'n gallu bod o gymorth i godi ofn ar unrhyw elynion ysglyfaethus.

Mae'r holl brosesau corfforol hyn yn galluogi'r corff i weithredu ar ei orau. Er bod llawer o bobl yn poeni am y gwahanol newidiadau corfforol sy'n dilyn rhyddhau adrenalin, gall y corff – hyd yn oed cyrff pobl â salwch difrifol – wrthsefyll yr effeithiau'n ddidrafferth. Mae adrenalin hyd yn oed yn cael ei chwistrellu mewn achosion brys i adfywio rhywun. Pan fydd y corff dan ddylanwad lefelau uchel o adrenalin, mae'n debygol bod cyhyr y galon yn gweithio hyd ei eithaf.

Mae pobl yn pryderu am effeithiau tymor hir ymateb trwy ymladd neu ffoi, sydd hefyd yn cael ei alw'n adwaith straen, ond mae'r dystiolaeth am orbryder ynddo'i hun yn byrhau bywyd neu'n achosi afiechydon yn eithaf cyfyngedig. Mae hyd yn oed peth tystiolaeth bod pobl orbryderus yn byw'n hirach na'u cyfoedion sy'n fwy hamddenol eu natur.

Beth sy'n achosi gorbryder a ffobiâu?

Yr ateb syml yw hyn: nid oes neb yn gallu dweud yn bendant sut mae gorbryder a ffobiâu yn codi.

Mae delweddu'r ymennydd gan ddefnyddio sganiau delweddu cyseiniant magnetig (MRI: *magnetic resonance imaging*) wedi dangos yn glir bod rhai rhannau o'r ymennydd yn gysylltiedig â gorbryder. Mae hefyd yn awgrymu y gall ymennydd y rhai sy'n dioddef o gyflyrau gorbryder fod yn wahanol mewn ffyrdd cynnil i ymennydd pobl nad ydyn nhw'n dioddef o orbryder. Erbyn hyn, mae'n debygol iawn bod genynnau'n gyfrifol am orbryder (er enghraifft, mae gwyddonwyr yn eithaf sicr bod elfen enetig sylweddol yn perthyn i anhwylder panig, agoraffobia ac anhwylder gorfodaeth obsesiynol).

Mae ymchwil fel petai hefyd yn cadarnhau'r farn sydd wedi hen fagu ei phlwyf fod gan y rhan fwyaf o bobl sy'n orbryderus dueddiad biolegol i ymateb mewn ffordd fwy pendant yn ffisiolegol na phobl eraill, ddim ond drwy gynhyrchu mwy o adrenalin. Mae'n bosibl y gall y tueddiad hwn gyfuno â ffactorau seicolegol a chymdeithasol eraill sy'n digwydd yn ystod plentyndod, ac yn ddiweddarach gallai ofn neu ffobia ddatblygu yn ei sgil.

Weithiau, fodd bynnag, pan fyddaf yn gwrando ar hanes rhywun sydd ag anhwylder gorbryder, daw'n amlwg ei fod wedi dechrau ar ôl trawma penodol. Er enghraifft, efallai fod y person wedi bod mewn damwain neu wedi'i ddal mewn lifft, neu wedi profi gwahanu sydyn neu brofedigaeth.

Yn olaf, mae ffactorau cymdeithasol, fel tlodi, ynysu cymdeithasol, diweithdra a chymorth cymdeithasol, yn bwysig iawn yn y modd y mae cyflyrau gorbryder yn esblygu.

Triniaethau

Y ddau brif ddull o drin ffobiâu a phanig, gyda llawer iawn o dystiolaeth ymchwil yn eu hategu, yw:

- therapi ymddygiad gwybyddol
- meddyginiaeth.

Gall mudiadau hunangymorth hefyd fod o help.

Therapi ymddygiad gwybyddol

Mae therapi ymddygiad gwybyddol (CBT: *cognitive behavioural therapy*) yn broses sy'n pwysleisio ymddygiad. Felly, wrth oresgyn ffobiâu, mae pobl yn newid eu hymddygiad drwy broses raddol o wynebu rhywbeth roedden nhw wedi bod yn ei osgoi cyn hynny. Techneg ganolog CBT ar gyfer ffobiâu a phanig yw therapi dod i gysylltiad â'r hyn sy'n achosi'r ffobia. Mae hon wedi'i phrofi'n ffordd effeithiol o fynd i'r afael â'r broblem.

Nod menter IAPT (*Improving Access to Psychological Therapies*) yw ei gwneud hi'n haws cael CBT, ac mae rhai rhaglenni ar-lein effeithiol ar gael. Holwch eich meddyg teulu neu nyrs eich meddygfa am hyn.

Meddyginiaeth

Mae triniaethau cyffuriau ar gyfer panig a ffobiâu yn bod ers cyn cof. Yn wir, y feddyginiaeth fwyaf cyffredin erioed ar gyfer pob math o orbryder yw alcohol. Mae'r rhai sydd â ffobiâu a phanig yn dal i'w ddefnyddio'n aml iawn a gall arwain at broblemau difrifol iawn, wrth gwrs.

Tawelyddion

Y cyffur mwyaf cyffredin ar bresgripsiwn yw diazepam (Valium), er bod nifer o fathau eraill o bensodiasepinau (fel Ativan a Xanax) hefyd i'w cael ar bresgripsiwn ar raddfa fawr. Yr anhawster mawr gyda'r cyffuriau hyn yw eu bod yn arwain yn gyflym at ddibyniaeth ac mae eu heffaith fuddiol ar orbryder yn pylu ar ôl ychydig ddwsinau o ddosau. O ran trin panig a ffobiâu, ni ddylid argymell y cyffuriau hyn.

Dros y blynyddoedd, mae nifer o grwpiau hunangymorth, megis Beat the Benzos (www. benzo.org.uk), wedi'u creu i helpu pobl sy'n gaeth i dawelyddion.

Gwrthiselyddion

Mae nifer o wrthiselyddion yn cael eu marchnata ar gyfer trin gorbryder, yn bennaf y cyffuriau **SSRI** (*selective serotonin reuptake inhibitors*) fel Prozac (fluoxetine), Seroxat (paroxetine), Cipramil (citalopram) a Cipralex (escitalopram). Mae cyffuriau hefyd ar gael sydd â chysylltiad â chyffuriau **SSRI**, er enghraifft, Cymbalta (duloxetine) ac Efexor (venlafaxine).

Mae'r gwrthiselyddion trichylch hŷn yn cynnwys imipramine ac amitriptyline, ond mae sgileffeithiau tymor hir difrifol iddyn nhw, gan gynnwys magu llawer iawn o bwysau ac effeithio ar y galon a'r afu/iau.

Meddyginiaethau amgen

Mae llawer o bobl yn cymryd meddyginiaethau naturiol a chymysgeddau homeopathig. Er nad ydw i'n amau o gwbl fod rhai pobl yn cael budd ohonyn nhw oherwydd yr effaith blasebo, nid oes tystiolaeth ymchwil sy'n dangos y dylai unrhyw un o'r meddyginiaethau amgen hyn gael eu defnyddio i drin gorbryder. Mae gen i air arall o rybudd – gan nad yw meddyginiaethau naturiol wedi'u rheoleiddio yn y wlad hon, does dim modd i chi fod yn gwbl sicr beth rydych chi'n ei gymryd.

Seicotherapi

Y ddamcaniaeth wrth wraidd triniaethau seico-therapiwtig traddodiadol yw nad yw'r symptomau ond yn gynnyrch gwrthdaro sylfaenol sydd â'i wreiddiau yn aml mewn plentyndod. Un anhawster mawr sy'n gysylltiedig ag esboniad seicdreiddiol (*psychoanalytical*) ar gyfer amrywiaeth o broblemau iechyd meddwl yw ei fod i raddau helaeth yn anwybyddu seiliau biolegol posibl y problemau. Mae hefyd yn anwybyddu'r ffactorau cymdeithasol niferus ac amrywiol a allai fod yn rhannol gyfrifol am achosi'r anhawster a chyfrannu'n sylweddol at ei barhad yn y tymor hwy.

Mudiadau hunangymorth

Rwy'n credu'n bendant y dylai 'gorau po fwyaf' fod yn un o'r egwyddorion canolog wrth wraidd y mudiad hunangymorth! Rwy'n falch o fod yn llywydd, yn noddwr ac yn un o sylfaenwyr No Panic.

Sefydlwyd No Panic ar gyfer pobl â ffobiâu, rhai sy'n cael pyliau o banig, rhai sydd ag anhwylderau gorfodaeth obsesiynol a gorbryder cyffredinol, a'r rheini sy'n dod oddi ar dawelyddion. Mae'n cynnig amrywiaeth o wasanaethau, deunydd darllen, casetiau sain a fideo a DVDs. Mae'r elusen yn cysylltu pobl â'i gilydd ac yn cynnig rhaglen adfer sy'n cael ei darparu dros y ffôn.

Os oes gennych broblem iechyd dylech fynd yn gyntaf at eich meddyg teulu, a allai eich atgyfeirio at seiciatrydd. Serch hynny, byddwn yn awgrymu eich bod yn rhoi cynnig yn gyntaf ar raglen hunangymorth, fel yr un sydd wedi ei hamlinellu yn y llyfr hwn. Ceisiwch ddilyn y rhaglen gam wrth gam am dair wythnos, o leiaf, ac efallai am hyd at dri mis.

Rhan 2

Y RHAGLEN HUNANGYMORTH

Mae'r rhaglen hunangymorth sy'n dilyn wedi'i hanelu'n bennaf at y rheini sydd â ffobiâu, ond gall fod o gymorth i rai sydd â phroblemau gorbryder eraill. Mae'r rhaglen yn cynnwys y camau canlynol:

1 diffinio'ch problem
2 dewis eich targedau neu'ch nodau
3 penderfynu ar eich cynllun a'i roi ar waith
4 delio â ffobiâu penodol
5 rheoli panig a gorbryder cyffredinol
6 cloriannu'ch cynnydd.

Peidiwch â cheisio mynd i'r afael â phob un ar unwaith. Pwyll piau hi. Felly, er enghraifft, pan fyddwch yn cynllunio targedau eich triniaeth, lluniwch eich rhestr a'i gadael tan y bore. Edrychwch ar eich rhestr drannoeth a gofynnwch i chi'ch hun, 'Ydw i wedi gwneud hyn yn iawn? Oes angen i mi ychwanegu unrhyw beth arall?' Hefyd, peidiwch â cheisio creu'r cynllun perffaith. Rhowch gynnig arno ac os nad ydych yn cael y canlyniad roeddech chi wedi'i obeithio, cymerwch gam yn ôl a meddyliwch sut mae modd ei wella.

Yna, fel rwy'n ei ddweud wrth bawb sy'n dod ataf i ddechrau ar daith eu triniaeth: yn hytrach na meddwl amdano, ewch amdani!

3

Diffinio'ch problem

Diffinio union natur eich problem yw'r cam angenrheidiol cyntaf ar eich llwybr i wella. Ond mae'n rhaid i chi wneud hyn mewn ffordd glir a diamwys.

Er enghraifft, nid yw dweud eich bod chi'n agoraffobig neu eich bod yn cael pyliau o banig yn disgrifio'r broblem, mewn gwirionedd. Mae'n debyg i ddweud, 'Dyw fy nghar i ddim yn mynd yn iawn.' Pe baech yn mynd â'ch car i garej, fe fyddech yn rhoi mwy o fanylion na hynny i'r mecanic – cymaint ag sy'n bosibl – er mwyn cael diagnosis i'r broblem a'i datrys.

Rhaid i chi ddweud beth yw'r broblem yn union a sut mae'n effeithio ar eich bywyd. Mae angen dod o hyd i atebion i rai cwestiynau sylfaenol, fel:

- Beth yw natur eich gorbryder?
- Beth yw eich symptomau corfforol?
- Ydy'ch gorbryder yn cynnwys meddyliau penodol, fel 'Dwi'n mynd i lewygu' neu 'Mae'n rhaid i mi ddianc'?
- Ydych chi'n defnyddio offer sy'n 'lleihau'r gorbryder? Er enghraifft, gallai defnyddio ffon, neu gario ffôn symudol neu botel o ddŵr wneud i chi deimlo'n fwy diogel. (Mae'r ffactorau addasu hyn yn bwysig oherwydd

gellir eu defnyddio'n ddiweddarach fel rhan o'r driniaeth.)

- Ydych chi'n gweld bod rhai ffactorau'n gwaethygu sefyllfa, fel goleuadau llachar mewn archfarchnadoedd, cael eich dal mewn traffig, cylchred eich mislif, neu adegau o'r dydd fel y nos neu ben bore?

Er enghraifft, gallai rhywun ddiffinio ei ofn agoraffobig fel a ganlyn:

- Ofn sefyllfaoedd lle nad oes modd amlwg i ddianc ohonynt, fel bysiau, trenau, theatrau ac archfarchnadoedd gorlawn. Mae'r ofn hwn yn arwain at osgoi sefyllfaoedd o'r fath, sydd yn ei dro yn cyfyngu ar fy ngallu i weithio, siopa a chymdeithasu.
- Mae'r ofn yn cynnwys meddyliau sy'n gysylltiedig â cholli rheolaeth (llewygu, llithro, chwydu, fy ngwlychu fy hun). Er fy mod i'n gwybod bod y meddyliau hyn yn afresymol, maen nhw'n gallu bod yn llethol.

Gallai rhannu'r broblem mewn ffyrdd ychydig yn wahanol eich helpu – drwy restru pethau sy'n peri anhawster i chi, er enghraifft.

- Ceisiwch nodi'n union beth rydych chi'n ofni sy'n mynd i ddigwydd (er enghraifft, llewygu, marw).
- Diffiniwch y sefyllfaoedd sy'n achosi'r gorbryder. Pryd mae'n digwydd a ble?
- Diffiniwch sut mae osgoi'r sefyllfaoedd hynny yn arwain at anfantais. Beth yw'r effeithiau arnoch?

Casgliad

Diffinio'ch problem yw'r cam cyntaf ar eich ffordd i wella. Gofalwch eich bod yn gwneud y canlynol:

- meddyliwch am yr holl elfennau sy'n rhan o'ch problem
- nodwch y sefyllfaoedd hynny sy'n achosi anhawster i chi neu'r rheini rydych yn dueddol o'u hosgoi
- nodwch yr holl ffactorau hynny sy'n gwneud y broblem yn waeth neu'n well
- diffiniwch sut mae'r broblem yn drysu eich gweithgareddau arferol a/neu'n ymyrryd â nhw.

Ar ôl i chi wneud hyn, gallwch fynd ymlaen at y cam nesaf, sef dewis targedau neu nodau eich triniaeth.

4

Dewis eich
targedau neu'ch nodau

Y cwestiwn cyntaf y dylech ei ofyn i chi'ch hun yw, 'Beth fyddwn i'n hoffi ei wneud nad ydw i'n gallu'i wneud ar hyn o bryd oherwydd fy mhroblemau?'

Mae hwn yn gwestiwn pwysig a dylid ei ateb yn onest. Byddwch yn hunanol: meddyliwch am yr hyn rydych chi'n ei ddymuno; rhowch yr hyn y mae eraill yn ei ddisgwyl gennych chi i'r naill ochr. Mae angen i chi ystyried y gall pobl eraill weithiau ddymuno i chi wneud pethau nad ydych chi o reidrwydd yn dymuno eu gwneud nhw eich hun.

Dylai gosod eich targedau fod yn broses ddau gam:

1 penderfynwch pa nodau (targedau) yr hoffech eu cyrraedd
2 diffiniwch bob un yn fanwl.

Penderfynu ar eich nodau neu'ch targedau

Edrychwch eto ar eich rhestr wreiddiol o broblemau i'ch helpu i weld pa dargedau yr hoffech chi anelu atynt. Er enghraifft, os oes ofn trên tanddaearol arnoch chi, gallech osod targed o deithio i'r gwaith arno. Os yw'ch problem yn ymwneud â phanig, gallech osod targed o wynebu teimladau o banig pan fyddan nhw'n digwydd gan ddefnyddio strategaethau rydych wedi'u cynllunio i leihau neu ddileu eich symptomau.

Os yw eich problem yn eich rhwystro rhag gwneud pethau rydych chi'n eu mwynhau, fel dilyn eich hobïau neu'ch diddordebau, dylech ddechrau trwy geisio datblygu targedau y byddwch yn eu mwynhau ynddynt eu hunain, ond a fydd efallai'n cynnwys dod i gysylltiad â sefyllfaoedd a fyddai fel arfer yn achosi gorbryder i chi. Gallai mynd i gêm bêl-droed neu ymuno â dosbarth nos fod yn enghreifftiau amlwg.

Diffinio'ch targedau yn fanwl

Yn debyg i'r datganiadau am y problemau, mae angen i dargedau fod yn benodol. Mae'n debyg mai'r enghraifft ganlynol yw'r ffordd orau o gyfleu hyn.

Er enghraifft, os mai un o'ch targedau yw 'teithio ar drên tanddaearol', nid yw'r ymadrodd hwn yn dweud llawer wrthych chi am yr union ymddygiad rydych yn anelu ato. Gallai targed tymor hir mwy addas fod fel hyn:

Teithio ar drên tanddaearol o orsaf Arnos Grove i Piccadilly Circus, bum gwaith yr wythnos, yn ystod yr awr frys. Byddaf yn gwneud y daith hon ar fy mhen fy hun, heb gymorth y botel ddŵr rwy'n ei defnyddio i ddelio â'r posibilrwydd y gallf dagu. Yn ystod y daith, byddaf yn ymarfer gwylio fy nghyd-deithwyr, yn hytrach na thynnu fy sylw oddi arnyn nhw trwy wrando ar fy iPod.

Mae'n amlwg, efallai, y byddwch yn dymuno datblygu eich ymddygiad targed yn fwy graddol. Gan ddefnyddio'r enghraifft uchod, efallai mai'ch targed cyntaf fyddai:

> Teithio ar drên tanddaearol o Cockfosters i orsaf Southgate (dau stop, heb dwneli hir) ar ôl i'r awr frys ddod i ben gyda ffrind o leiaf ddwywaith yr wythnos.

Yn ddelfrydol, dylai pob problem a ddiffinnir gael dri datganiad nod (neu darged) ynghlwm wrthi, o leiaf. Does dim ots faint o dargedau rydych chi'n eu gosod, ond mae'n werth ystyried sut allwch rannu'r rhain er mwyn i chi allu mynd i'r afael â nhw gam wrth gam. Er enghraifft, efallai y byddwch yn dewis gosod targedau i'w cyflawni yn y tymor byr (o fewn pedair wythnos), y tymor canolig (o fewn tri mis) a'r tymor hir (o fewn chwe mis i flwyddyn).

Nodwch eich targedau ar bapur a'u harddangos mewn man lle byddwch chi'n eu gweld yn aml.

Casgliad

Llunio rhestr o dargedau yw'r ail gam ar eich ffordd i wella. Gofalwch eich bod yn gwneud y canlynol:

- gwnewch restr o'r pethau rydych am fedru eu gwneud
- byddwch yn benodol iawn ynghylch manylion pob targed
- gwnewch yn siŵr fod y targed yn adlewyrchu eich datganiad o'r broblem

- meddyliwch am eich targedau yn y tymor byr, canolig a hir.

Pan fyddwch wedi gwneud eich rhestr, dangoswch hi i'ch gŵr neu'ch gwraig, i'ch partner neu i ffrind dibynadwy. Dylech wneud hyn i weld a oes targedau ychwanegol y gallech eu cynnwys. Mae hyn hefyd yn rhoi cyfle i chi ofyn am gefnogaeth ymarferol er mwyn i chi allu cyflawni eich targedau.

Cadwch eich rhestr o dargedau mewn man lle byddwch chi'n eu gweld yn aml.

5

Penderfynu ar eich cynllun a'i roi ar waith

Mae dod i gysylltiad â'r gwrthrych neu'r sefyllfa sy'n achosi gorbryder i chi yn hanfodol os ydych chi'n mynd i oresgyn eich ofnau. Mae hon yn egwyddor ganolog i'r therapi hwn.

Felly, mae'n rhaid i ddod i gysylltiad â'r hyn rydych chi'n ei ofni fod yn brif elfen yn eich cynllun. Cofiwch, mae agweddau eraill ar drin a rheoli gorbryder hefyd yn bwysig, er enghraifft, rhoi sylw i ymarfer corff, deiet, rheoli amser, alcohol ac ymlacio (gweler Pennod 8).

Mae'n bwysig bod eich cynllun yn un *ysgrifenedig*.

Ysgrifennwch bob agwedd ar eich cynllun y gallwch feddwl amdani ac yna'u hystyried yng ngoleuni unrhyw gyfyngiadau a osodir gan eich trefn arferol neu'ch blaenoriaethau mewn bywyd. Yn fy mhrofiad i, os ydych chi'n mynd i oresgyn eich ffobia, mae angen i'ch cynllun dod i gysylltiad â'ch ffobia fod yn brif flaenoriaeth i chi yn eich bywyd. Os na allwch benderfynu'n bendant mai'r cynllun yw eich prif flaenoriaeth, mae'n debyg na fyddwch yn llwyddo i oresgyn eich ofnau.

Llunio'ch cynllun

Dod i gysylltiad â'r hyn rydych chi'n ei ofni yn eich dychymyg a'ch bywyd go iawn

Mae digon o dystiolaeth y gall defnyddio eich dychymyg fod o gymorth mawr yn ystod camau cynnar y driniaeth.

Mae'r hyn y mae angen i chi ei wneud yn eithaf syml. Ceisiwch ddychmygu'ch hun yn y sefyllfa neu'n wynebu'r gwrthrych rydych yn ei ofni, ac ar yr un pryd yn eich gweld eich hun yn aros yno'n dawel ac yn ymdopi â'r sefyllfa honno. Gall hyn fod yn ffordd ddefnyddiol iawn o baratoi eich hun am y sefyllfa go iawn.

Bydd y rhan fwyaf o bobl â ffobiâu yn ceisio gwthio unrhyw feddyliau am eu gwrthrych ffobig o'u meddwl. Ceisiwch wneud y gwrthwyneb. Ceisiwch feddwl am y sefyllfa neu'r gwrthrych cyhyd ag sy'n bosibl, ond am ddeng munud ar y tro, o leiaf.

Delio â ffobiâu penodol

Mae'r un rheolau ynghylch dod i gysylltiad â'r hyn rydych yn ei ofni'n berthnasol i reoli ffobiâu penodol a'r ffobiâu mwy cymhleth, megis agoraffobia. Dod i gysylltiad yn raddol â'r sefyllfa neu'r gwrthrych sy'n peri ofn yw'r dull canolog.

Gyda phob math penodol o ffobia, efallai y bydd angen rhai strategaethau ychwanegol i ddelio â phroblemau sy'n benodol i'r ffobia hwnnw. Er enghraifft, yn achos ffobia chwydu, byddai angen delio â phroblemau eilaidd, megis ymddygiadau tsiecio neu obsesiwn â dyddiadau olaf gwerthu a chyflwr bwyd yn yr oergell.

Un dull fyddai gadael i rywun arall fod yn gyfrifol am goginio gan y byddai gan y person hwnnw hefyd agwedd fwy hamddenol tuag at ddyddiadau olaf gwerthu. I rywun sydd â ffobia o'r fath, mae rhoi'r gorau i reoli yn gam ymlaen go iawn.

Yn yr un modd, mae'n bosibl y bydd yr un sydd â'r ffobia wedi osgoi yfed alcohol. Mewn achos felly, byddwn yn argymell yfed alcohol yn rheolaidd. Sylwch fod hyn yn groes i'm cyngor cyffredinol i bobl â ffobiâu!

Dyma enghraifft arall – os oes gan rywun ofn uchder, mae'n debyg na fyddai concro adeiladau uwch ac uwch eto yn ddigonol. Dylai'r cynllun gynnwys amrywiaeth eang o sefyllfaoedd sy'n golygu wynebu'r ofn hwn – edrych allan drwy ffenestr, sefyll ar falconi, gyrru ar draws pont, croesi pont dros ddŵr ar droed, eistedd ar fainc ar ben clogwyn ac yn y blaen.

Gyda'r ofn hwn, mae defnyddio ffilmiau a rhaglenni cyfrifiadurol sy'n cynnwys golygfeydd ag uchder hefyd yn syniad da. Yn gyffredinol, mae strategaethau o'r fath yn aml yn ddefnyddiol wrth baratoi'r unigolyn dan sylw ar gyfer y sefyllfa go iawn.

Mae pob math o heriau'n gysylltiedig â ffobiâu cymdeithasol. Mae angen ystyried agweddau penodol ar ofn pob person yn ofalus, yn ogystal ag anawsterau penodol sefyllfaoedd cymdeithasol. Yn achos rhywun sy'n ofni gwrido, gellid awgrymu gwahardd colur y mae'n ei ddefnyddio i guddio croen sy'n gwrido. Gallech hefyd awgrymu bod yr un dan sylw yn gwylio pobl eraill er mwyn eu gweld yn ymdopi â phroblemau tebyg.

Mae angen teilwra dulliau triniaeth yn benodol i'r ffobia dan sylw ac i'r amgylchiadau unigol.

Pa mor aml ddylwn i ddod i gysylltiad â'r gwrthrych neu'r sefyllfa sy'n achosi'r ffobia ac am ba hyd?

Mae ymchwil yn dangos yn glir iawn bod sesiynau hir o gysylltiad yn llawer mwy effeithiol na rhai byr. Mae hynny oherwydd bod angen i chi roi amser i chi'ch hun ymdawelu.

Fe fyddwch yn teimlo eich bod yn dechrau ymdawelu ar ôl ychydig funudau, ond mae hi'n cymryd llawer rhagor o amser yn aml i leihau eich gorbryder yn barhaol. Felly, gorau po hiraf y gallwch chi aros yn y sefyllfa, oherwydd dim ond am gyfnodau cymharol fyr y gall eich corff gynnal lefelau uchel o adrenalin. Yn ogystal, po hiraf y bydd eich cysylltiad yn parhau, mwyaf y byddwch chi'n sylweddoli na fydd yr hyn rydych chi'n ei ofni yn digwydd.

Yn ddelfrydol, felly, dylai sesiynau cysylltiad bara dwy awr. Er bod hyn yn ymddangos yn uchelgeisiol, mae llawer iawn o dystiolaeth yn dangos bod cymaint â hynny o amser yn llawer mwy effeithiol na chyfnodau byrrach o tua 30 munud. Mae ymarfer yn rheolaidd yn bwysig hefyd.

Y rheol syml, os oes modd yn y byd, yw y dylech wynebu eich ofnau bob dydd. O brofiad, gall gwneud cymaint ag y gallwch chi bob amser fod yn fwy defnyddiol na bod yn geidwadol. Rwy'n credu mai bach iawn yw'r risg mewn cynnal sesiynau yn aml ac, er bod llawer o bobl yn rhagweld y byddan nhw'n 'ei gorwneud hi', mae hynny'n annhebygol.

Pa mor raddol ddylai fy nghysylltiad i fod?

Gall rhai pobl symud yn gyflym iawn tuag at wynebu'r gwrthrych neu'r sefyllfa sy'n peri'r ofn mwyaf iddyn nhw; bydd eraill yn cymryd ychydig yn hirach. Mae pawb yn wahanol! Gall rhai symud gam ymhellach yn gyflym iawn i wneud y peth gwaethaf y gallant ei ddychmygu (er enghraifft, teithio ar drên tanddaearol yn llawn pobl yn ystod yr awr frys), ond mae angen i eraill fynd i'r afael â'u hofnau'n raddol iawn.

Nid yw ymchwil yn rhoi unrhyw dystiolaeth derfynol y naill ffordd na'r llall. Y rheol syml yw y dylid gwneud yr hyn sy'n anodd, ond er hynny'n ymarferol.

Oes angen i mi brofi gorbryder yn ystod sesiynau cysylltiad?

Er bod y rhan fwyaf o bobl yn arswydo wrth feddwl am driniaeth cysylltiad ac yn rhagweld y bydd ganddynt lefelau uchel iawn o orbryder, mae'r gorbryder y maent yn ei brofi wrth wynebu sefyllfa neu wrthrych eu hofn mewn gwirionedd yn amrywio'n fawr. Yn wir, ychydig iawn o orbryder y mae lleiafrif sylweddol yn ei brofi pan fyddant o'r diwedd yn wynebu sefyllfa y maent wedi'i hosgoi ers blynyddoedd lawer.

Yr ateb syml yw nad oes ots, mae'n debyg, faint o orbryder y byddwch yn ei brofi yn ystod sesiwn cysylltiad, cyn belled â'ch bod yn parhau i gael sesiynau cysylltiad, mor aml a chyn hired â phosibl.

Ar eich pen eich hun neu weithio gydag eraill

Mae ymchwil yn dangos bod sesiynau triniaeth grŵp yn gallu bod yn effeithiol iawn o ran goresgyn ffobiâu a phanig mewn rhai unigolion. Mae wynebu'ch ofnau gydag eraill yn aml yn rhoi hyder a chymhelliant ichi ac yn eich atgyfnerthu. Mae llawer o'r rhaglenni triniaeth rydw i wedi'u cynnal mewn lleoliadau i gleifion allanol yn yr ysbyty wedi cynnwys dulliau grŵp. Mae'r gwmnïaeth a'r cyfeillgarwch sy'n datblygu yn gadarnhaol iawn; felly hefyd y gefnogaeth gan fudiad hunangymorth fel No Panic. Fodd bynnag, nid yw triniaeth grŵp yn gweddu i bawb, ac mae rhai'n dymuno gwneud y driniaeth ar eu pen eu hunain.

Cofiwch hefyd, er y dylech dderbyn cymaint o gymorth ymarferol â phosibl gan eraill, mai eich nod pennaf yw gallu wynebu'r sefyllfaoedd neu'r pethau sy'n achosi'ch ffobia ar eich pen eich hun. Dylech ystyried cael rhywun arall gyda chi yn gam hanner ffordd. Gall dibynnu'n ormodol ar eraill fod yn niweidiol yn y pen draw.

A oes angen therapydd proffesiynol arna i?

Yn gyffredinol, yr ateb syml i'r cwestiwn hwn yw 'nac oes'. Cyn belled â'ch bod yn gallu dilyn yr egwyddor ganolog o wynebu'ch ofnau a bod y bobl o'ch cwmpas yn gefnogol, gall dilyn cynllun o gysylltiad cynyddol fod cystal â chael help gan therapydd proffesiynol. Gall therapyddion proffesiynol asesu'ch problem yn wrthrychol, fodd bynnag, a'ch annog i wynebu'r sefyllfa neu'r gwrthrych dan sylw.

Cael cyd-therapydd (partner i weithio gyda chi)

Mae'r rhan fwyaf o bobl sydd â ffobiâu a phanig yn cael help sylweddol gan eraill ond, oni bai fod eu nod yn cael ei ystyried yn ofalus, gall cymorth o'r fath fod yn wrthgynhyrchiol ar adegau. Er enghraifft, gall priod neu bartner rhywun ag agoraffobia gymryd nifer o'r cyfrifoldebau y byddai hwnnw fel arfer yn eu hysgwyddo ar ei ben ei hun. Yn y pen draw, gall y fath newid mewn cyfrifoldebau fod yn niweidiol ac yn wrthgynhyrchiol, gan wneud rhywun yn fwy a mwy dibynnol ar eraill. Gall y partner hefyd gael ei dynnu i roi sicrwydd diddiwedd a diystyr.

Mae'n gallu bod yn anodd torri hen arferion, felly mae'n bosibl y bydd yn rhaid i'r cyd-therapydd newid ei ymddygiad yn raddol hefyd, yn sgil y cynllun triniaeth. Rôl eich cyd-therapydd yw rhoi anogaeth a chymorth, i'ch helpu i wynebu'r sefyllfaoedd neu'r gwrthrychau rydych yn eu hofni ac yn eu hosgoi, gan eich cefnogi a'ch annog yn gyson ar yr un pryd. Fel llawer o bethau eraill, mae'n haws dweud na gwneud. Bydd rhai anawsterau'n codi, wrth gwrs. Fodd bynnag, os ydych chi a'ch cyd-therapydd yn adolygu'ch cynnydd yn wrthrychol, gan ddefnyddio'r dyddiaduron a ddisgrifir yn y bennod nesaf, efallai y gallech osgoi nifer o'r peryglon hyn.

6

Cadw dyddiadur

Mae sawl ffordd o gadw dyddiadur – mae tair enghraifft isod.

Mae'r cyntaf yn ddyddiadur cyffredinol (gweler Tabl 1) sy'n nodi gweithgareddau pob dydd a lefelau eich gorbryder a'ch hwyliau. Bydd cofnodi gwybodaeth o'r fath dros gyfnod o amser yn eich helpu i weld y berthynas rhwng yr hyn rydych chi'n ei wneud a sut rydych chi'n teimlo. Gallwch ddefnyddio'r adran 'Sylwadau' ar y dde i grynhoi eich barn gyffredinol am y diwrnod.

Tabl 1 Enghraifft o ddyddiadur cyffredinol

Dyddiad	Prif ddigwyddiadau'r diwrnod	Pwyntiau gorbryder uchel/isel*	Graddfeydd hwyliau**	Sylwadau

---

* Sgoriwch orbryder ar raddfa o 0 i 8 – 0 = dim gorbryder ac 8 = y gorbryder gwaethaf posibl.

** Sgoriwch iselder ar raddfa o 0 i 8 – 0 = dim problemau ac 8 = yr iselder gwaethaf posibl.

Mae'r ail fath o ddyddiadur – dyddiadur cysylltiad – yn benodol ar gyfer tasgau sy'n dod â chi i gysylltiad â'r hyn rydych chi'n ei ofni. Rydych yn ei ddefnyddio i gofnodi hyd eich sesiynau a graddfeydd eich gorbryder (gweler Tabl 2).

Dylech gofnodi graddfeydd eich gorbryder cyn, yn ystod ac ar ôl pob sesiwn. Mae hefyd yn bwysig nodi a oes cyd-therapydd wedi bod yn bresennol ai peidio, wedyn cynlluniwch eich tasg nesaf.

Gellir addasu'r fformat syml hwn ac ychwanegu colofnau ychwanegol yn ôl yr angen.

Tabl 2 Enghraifft o ddyddiadur cysylltiad

Dyddiad	Sefyllfa cysylltiad	Hyd y sesiwn	Graddfeydd gorbryder *	Cyd-therapydd yn bresennol?	Y dasg nesaf

Nodyn
* Sgoriwch orbryder ar raddfa o 0 i 8 – 0 = dim gorbryder ac 8 = y gorbryder gwaethaf posibl.

Gall y dyddiadur meddyliau (gweler Tabl 3) fod yn
arbennig o werthfawr i'r rhai sy'n dioddef o byliau
o banig gan ei fod yn eich helpu i nodi patrymau
amrywiol o feddyliau negyddol a chatastroffig.

Mae hon yn broses bwysig a dyma'r cam cyntaf i
reoli'r meddyliau sy'n gysylltiedig â phyliau o banig.
Mae disgrifiad o'r strategaethau amrywiol y gallwch
eu dilyn yn y bennod nesaf.

Tabl 3 Enghraifft o ddyddiadur meddyliau

Dyddiad	Sefyllfa	Sbardunau	Meddyliau	Canlyniadau

At ei gilydd, cadw dyddiaduron i nodi sut rydych
chi'n teimlo, yr hyn rydych chi'n ei wneud a pha
mor llwyddiannus ydych chi yw'r ffordd orau
o gloriannu'ch cynnydd. Dylech gadw'ch rhestr
wreiddiol o broblemau a thargedau a defnyddio'r

dyddiaduron i benderfynu pa mor agos ydych chi at gyflawni'r targedau rydych wedi'u gosod.

Mae'n ddigon posibl y bydd angen diwygio'ch targedau ar ôl ychydig, ac, yn wir, hwyrach y gwelwch chi wrth i chi ddal ati fod eich barn am y broblem yn newid. Os felly, bydd angen i chi adolygu eich diffiniad gwreiddiol. Mae hyn yn aml yn digwydd pan fyddwch wedi osgoi rhywbeth ers amser maith. Ni fyddwch yn dechrau gweld pethau mewn goleuni gwahanol nes y byddwch wedi dechrau eu hwynebu.

7

Rheoli panig a gorbryder cyffredinol

Rheoli panig

Yn y bôn mae rheoli panig yn cynnwys tri dull canolog. Y dull cyntaf, a'r pwysicaf o bosibl, yw

1 dyfalbarhau â chysylltiad. Mae hynny'n golygu y dylech atal eich hun rhag 'ffoi' o'r sefyllfa.

Yna mae:

2 delio â goranadlu
3 delio â meddyliau catastroffig.

Goranadlu

Fel rydym wedi'i weld eisoes, wrth i ni fynd yn orbryderus, ymateb ein corff yw paratoi i 'ymladd neu ffoi'. Un elfen o'r adwaith hwn yw ein bod yn anadlu'n gyflymach i ddarparu ocsigen ychwanegol i'r corff. Mewn cyflwr o orbryder a phanig, fodd bynnag, does dim angen y cynnydd yn ein cyfradd anadlu i'n helpu ni i ymladd neu ffoi oddi wrth ein gelyn! Mewn gwirionedd, rydym ni'n anadlu mwy na'r hyn sydd ei angen ar ein corff.

Dros amser bydd goranadlu o'r fath yn arwain

at anghydbwysedd yng nghemeg y corff. Y rheswm dros hynny yw y bydd lefelau'r carbon deuocsid yn lleihau, gan arwain at deimladau fel pinnau bach, teimlo'n benysgafn, dylyfu gên neu ochneidio ac, mewn achosion eithafol, y cyhyrau'n gwingo. Mae goranadlu am gyfnodau estynedig hefyd yn gwneud i rywun flino a theimlo'n gysglyd.

I'r rhai sy'n cael pyliau o banig, mae'r symptomau eu hunain sy'n cael eu cynhyrchu gan oranadlu yn frawychus ac, o'u cymryd gyda symptomau gorbryder eraill, fel y galon yn curo'n gyflym, gall rhywun deimlo fel petai ar fin cael strôc neu drawiad ar y galon. O ganlyniad, mae'r corff yn cynhyrchu rhagor o adrenalin, sydd yn ei dro yn gwneud pethau'n waeth trwy fwydo i mewn i gylch cythreulig o orbryder.

Mae cryn dystiolaeth i ddangos y gall dysgu pobl i anadlu'n fwy priodol fod yn effeithiol iawn wrth helpu i leihau goranadlu. Yr anhawster i rai pobl yw bod panig yn datblygu mor sydyn, nid ydynt yn sylweddoli eu bod yn goranadlu.

Delio â goranadlu

Mae goranadlu fel arfer yn arwain at anadlu'n fas, wedi'i gyfyngu i ran uchaf y frest, a hynny'n gyflym.

Gall ymarferion anadlu syml, sef anadlu'n araf, ond nid yn rhy ddwfn, fod yn hynod o fuddiol. Mae sicrhau eich bod yn anadlu o'r diaffram, yn hytrach nag o dop eich brest, yn bwysig iawn. Gallwch wneud yn siŵr eich bod yn gwneud hyn drwy roi eich llaw ar eich bol, ychydig yn is na chawell eich asennau. Dylai eich bol symud i mewn ac allan i sicrhau eich bod yn defnyddio cymaint o'r frest â phosibl.

Beth i'w wneud yn achos panig acíwt

Gall goranadlu arwain weithiau at bwl o banig acíwt. Os yw'n bosibl, ceisiwch ddod o hyd i rywle tawel i eistedd neu orwedd, ac anadlwch yn araf o'r diaffram. Bydd rhyddhau'ch dillad ac ymlacio'ch osgo yn help. Er bod hyn yn gallu bod yn anodd iawn, ceisiwch ganolbwyntio ar ymlacio'ch cyhyrau ac ar yr un pryd, cofiwch nad yw panig yn gallu gwneud unrhyw niwed go iawn.

Un ffordd gyflym ac effeithiol iawn o ddelio â'r goranadlu sy'n gysylltiedig â phanig yw'r hen ddull sydd wedi hen ennill ei blwyf, sef ailanadlu'r aer rydych chi newydd ei anadlu allan. Mae aer wedi'i anadlu allan yn cynnwys mwy o garbon deuocsid na'r aer o'n cwmpas, felly mae ailanadlu yn rhoi carbon deuocsid yn ôl yn eich corff, gan wrthdroi'r newidiadau cemegol sy'n codi yn sgil goranadlu, fel y disgrifir uchod.

Gallwch ailanadlu'r aer rydych chi'n ei anadlu allan drwy anadlu i mewn ac allan o fag papur gan grychu pen agored y bag, ei ddal mewn un llaw a'i roi dros eich ceg. Os nad yw hyn yn bosibl, dewis arall syml yw rhoi'ch dwylo dros eich trwyn a'ch ceg fel cwpan ac ailanadlu'r aer rydych yn ei anadlu allan fel hynny. Mae gwneud hyn am ddau funud neu dri yn ddigon gan amlaf i adfer y cydbwysedd cemegol cywir yn y corff.

Os ydych chi gyda rhywun sy'n goranadlu, un o'r egwyddorion allweddol yw sicrhau eich bod chi'ch hun yn peidio â chynhyrfu. Mae'n bwysig cofio bod goranadlu, er ei fod yn gallu edrych yn eithaf trawiadol, gan amlaf yn cyfyngu arno'i hun ac anaml iawn y bydd yn arwain at unrhyw ganlyniadau meddygol difrifol. Yn achlysurol iawn gall arwain at y cyhyrau'n gwingo, ond mae hyn ynddo'i hun hefyd yn ddiniwed ac yn cyfyngu arno'i hun. Dyma ffordd y corff o atal goranadlu nes bod y cydbwysedd cemegol wedi'i adfer. Arhoswch gyda'r person a cheisiwch sicrhau ei fod ef neu hi'n aros yn llonydd. Ceisiwch helpu'r unigolyn i ymlacio a phwysleisiwch yr angen i anadlu'n araf ac o'r diaffram. Defnyddiwch y technegau bag papur neu gwpanu dwylo sy'n cael eu disgrifio uchod fel bod y person yn gallu ailanadlu'r aer y mae ef neu hi wedi'i anadlu allan.

Yn gyffredinol, gall pobl sy'n goranadlu wrthdroi hyn drwy ymarfer yr anadlu araf o'r diaffram sy'n cael ei ddisgrifio uchod, unwaith neu ddwy y dydd, gan gyfuno hyn â chyfnod o ymlacio corfforol, os yw'n bosibl. Dylen nhw hefyd geisio gwneud ychydig o ymarfer corff (megis rhedeg, beicio, nofio, cerdded) bob dydd.

Delio â meddyliau catastroffig

Os ydych yn cadw cofnod o'ch pyliau o banig, gan ddefnyddio dyddiadur efallai (gweler tudalen 47), fe welwch y bydd y meddyliau sy'n cyd-fynd â'r fath byliau yn debyg iawn bob tro. I'r rhan fwyaf o bobl, ofni colli rheolaeth mewn rhyw fodd yw'r thema ganolog fel arfer. Er enghraifft, gallech ofni y byddwch yn llewygu, yn cael strôc neu drawiad ar y galon, yn chwydu, yn mynd yn wallgof neu'n marw.

Un o'r ffyrdd pwysicaf o ddelio â meddyliau catastroffig o'r fath yw archwilio'r dystiolaeth. Er enghraifft, efallai eich bod wedi bod mewn panig ar sawl achlysur ond pryd wnaeth hyn arwain at unrhyw beth heblaw gorbryder ynghylch beth allai ddigwydd? A gawsoch chi drawiad ar y galon? Wnaethoch chi lewygu?

Dyma amrywiaeth o strategaethau a allai helpu i gadw'ch meddwl yn gytbwys.

- Ysgrifennwch restr o fanteision ac anfanteision – hynny yw, pwyntiau o blaid ac yn erbyn y canlyniad catastroffig yn digwydd. Yna gallwch wneud nifer o gardiau bach i'w cario yn eich waled neu'ch pwrs i'w darllen os ydych yn cael pwl o banig.
- Recordiwch rai datganiadau ymdopi rhesymegol ar eich ffôn neu ar chwaraewr MP3/4 a gwrandewch arnynt – er enghraifft, mewn cerbyd trên llawn lle mae'r pyliau o banig yn digwydd.
- Gorfodwch y meddyliau i ddigwydd yn fwriadol. Mae hyn yn swnio'n hynod groes i'r graen, ond rhowch gynnig arni – mae'n gweithio yn aml. Bwriad paradocsaidd yw enw seicolegwyr a seiciatryddion ar y dull hwn. Mae ymchwil gan arbenigwyr ar anhwylderau gorbryder wedi dangos bod wynebu'r meddyliau hyn yn gwneud i bobl deimlo eu bod yn eu rheoli, yn

hytrach na bod y meddyliau yn eu rheoli nhw. Felly maent yn teimlo'u bod yn fwy abl i fynd i'r afael â phatrymau meddyliau o'r fath nag oeddent o'r blaen.

Nid yw panig yn gwneud niwed

Cofiwch nad yw panig yn gwneud niwed, ei fod yn cyfyngu arno'i hun, ac nad yw pobl eraill yn ymwybodol o gwbl bod unrhyw beth yn digwydd, gan amlaf. Hefyd, yn y tymor hwy, ni fydd dianc ond yn achosi i'r panig waethygu. Ceisiwch aros yn y sefyllfa, waeth pa mor anodd yw hynny, anadlwch yn araf a dywedwch wrthych eich hun, drosodd a thro, na fydd dim yn digwydd. Cofiwch eich profiadau blaenorol – er eich bod chi wedi meddwl bod trawiad ar y galon neu strôc ar fin digwydd, nid yw hyn erioed wedi digwydd. Atgoffwch eich hun hefyd na all y corff ond pwmpio adrenalin am gyfnodau byr, a'i bod yn debygol mai lefelau uchel o adrenalin sy'n gyfrifol am eich symptomau yn hytrach na dim byd mwy sinistr.

8

Dewisiadau yn ymwneud â'ch ffordd o fyw i reoli gorbryder cyffredinol

I'r rheini sydd â ffobiâu a phanig, mae angen ystyried pum maes cyffredinol pwysig o ran ffordd o fyw:

- ymarfer corff
- ymlacio
- alcohol
- deiet
- rheoli amser.

Ymarfer corff

Mae digon o dystiolaeth i awgrymu bod ymarfer corff rheolaidd a synhwyrol yn lleihau'r risg o amrywiaeth eang iawn o afiechydon, ac mae pobl sy'n gwneud ymarfer corff yn rheolaidd yn dweud bod eu lefelau gorbryder, tensiwn ac iselder yn gostwng. Yn wir, mae'r Sefydliad Cenedlaethol dros Ragoriaeth mewn Iechyd a Gofal (NICE) yn argymell ymarfer aerobig rheolaidd fel y driniaeth gyntaf ar gyfer iselder ysgafn i gymedrol.

Rydym yn annog pob math o ymarfer corff, o arddio neu chwarae golff i gerdded. Mae ymchwil yn awgrymu'n gryf iawn, er mwyn i ymarfer corff ein gwneud yn llai tebygol o gael salwch corfforol ac i wella ein hwyliau a lleihau'r tensiwn, bod angen iddo fod yn lled ddwys, bum gwaith yr wythnos, o leiaf.

Beth yw 'lled ddwys'?

Yr ateb yw ymarfer sy'n cynnal rhwng 70 ac 80 y cant o uchafswm cyfradd curiad eich calon.

Sut ydw i'n darganfod uchafswm cyfradd curiad fy nghalon?

Mae'r ateb yn syml. Uchafswm cyfradd curiad eich calon yw 220 a thynnu eich oedran. Felly, i rywun 20 oed, 200 yw uchafswm cyfradd curiad ei galon. Felly mae 70 i 80 y cant o gyfradd uchaf curiad ei galon rhwng 140 a 160 curiad y funud.

Un o'r ffyrdd symlaf o benderfynu a ydych chi'n ymarfer yn ddigon egnïol yw'r prawf siarad. Os yw uchafswm cyfradd curiad eich calon rhwng 70 a 75 y cant wrth i chi ymarfer, dylech allu cynnal sgwrs, ond byddwch ychydig yn fyr eich gwynt ac yn chwysu.

Ewch i gael sgwrs gyda'ch meddyg teulu cyn dechrau ar unrhyw ymarfer corff, yn arbennig os oes gennych unrhyw broblemau iechyd, os ydych dros 40 oed ac os nad ydych wedi gwneud unrhyw ymarfer corff ers nifer o flynyddoedd.

Sut i ddechrau

Peidiwch â mynd yn syth i mewn i raglen ymarfer corff bum gwaith yr wythnos sy'n gwneud i'ch calon guro ar gyfradd o rhwng 70 a 75 y cant o'i uchafswm. Gweithiwch tuag at hynny'n raddol. Gallech ddechrau trwy gerdded a loncian am 20 munud ar y tro, dair gwaith yr wythnos, gan gynyddu eich stamina'n raddol. Dylech gynyddu eich ymarfer corff 10 y cant yr wythnos.

I gyflawni hyn, mae angen i chi gymryd rhan mewn gweithgareddau fel rhedeg, rhwyfo, beicio, nofio neu ddefnyddio peiriant trawsymarfer mewn campfa. Yn ddelfrydol dylech gymysgu'r gweithgareddau gwahanol hyn fel eich bod chi'n ymarfer rhannau gwahanol o'ch corff. Mae nofio yn wych i gynyddu ystwythder a bydd defnyddio'r peiriant trawsymarfer yn ymarfer eich breichiau a'ch coesau. Sylwch na fyddwch yn cyrraedd lefel ofynnol cyfradd curiad y galon drwy fynd am dro hir yn y wlad, chwarae golff neu wthio troli siopa o gwmpas yr archfarchnad.

Mae ymarfer ar eich pen eich hun yn anodd, yn enwedig yn ystod misoedd tywyll y gaeaf. Bydd ymarfer gyda ffrind yn eich ysgogi chi. Gan amlaf mae gan ganolfannau hamdden a champfeydd gyfleusterau rhagorol ac maen nhw'n cyflogi hyfforddwyr ffitrwydd cymwys a fydd fel rheol yn gallu cynnig help i chi gyda chynllun ymarfer corff. Bydd yn rhaid i chi dalu rhywfaint am hyn, ond mae'n fuddsoddiad gwerth chweil yn eich iechyd. Fe allech roi cynnig ar ddosbarthiadau grŵp hefyd, fel sbinio, sy'n defnyddio beiciau llonydd, neu ddosbarthiadau aerobeg.

Cynllun Atgyfeirio Cleifion i Wneud Ymarfer Corff

Mae'n debyg y bydd y rhan fwyaf o'r rheini sy'n dioddef gorbryder a phanig yn gymwys ar gyfer y

Cynllun Atgyfeirio Cleifion i Wneud Ymarfer Corff. Yn gyffredinol, mae'r cynllun hwn i bobl dros 15 oed sydd â rhai o'r ffactorau risg sy'n gysylltiedig â chlefyd coronaidd y galon.

Gall y rhaglen, sy'n cael ei hariannu gan y llywodraeth, gael ei chynnig hefyd i wella symudedd, helpu i reoli diabetes ac, yn fwy perthnasol i ddarllenwyr y llyfr hwn, helpu i drin iselder.

I ddarganfod a ydych chi'n gymwys ar gyfer y rhaglen hon, gofynnwch i'ch meddyg teulu eich atgyfeirio.

Dwi'n rhy brysur i wneud ymarfer corff

Rwy'n siŵr bod pob gweithiwr iechyd proffesiynol sydd wedi argymell ymarfer corff fel ateb ar gyfer unrhyw beth o gwbl wedi clywed y gŵyn hon. Fy ymateb syml i hyn yw bod 168 awr mewn wythnos a byddai gwneud ymarfer corff bum gwaith yr wythnos am 30 munud, gyda rhywfaint o amser ychwanegol ar gyfer teithio, newid a chael cawod wedyn, yn cymryd tua saith i wyth awr. Hynny yw, dwy awr a hanner o ymarfer corff a phedair awr a hanner awr o deithio a pharatoi. Mae 160 awr yr wythnos yn dal i fod yn weddill.

Fy marn syml i yw, os nad ydych yn gallu neilltuo rhywbeth tebyg i 5 y cant o'r holl amser sydd gennych chi i un o'r gweithgareddau mwyaf gwerthfawr i'ch bywyd, mae'n sicr bod rhywbeth o'i le yn eich bywyd. Cyfrifwch faint o oriau rydych chi'n eu treulio'n gwylio'r teledu, yn neidio o'r naill sianel i'r llall, neu'n synfyfyrio neu'n syrffio'r rhyngrwyd, naill ai yn y gwaith neu gartref.

Ymlacio

Er nad yw ymlacio'n cael ei ddefnyddio'n uniongyrchol i drin ffobiâu na phyliau o banig, gall fod yn ddefnyddiol yn aml i leihau cynnwrf corfforol a thensiwn y corff. Mae'r cyfarwyddiadau sy'n dilyn yn rhoi cyflwyniad i chi os ydych chi am roi cynnig arni. Fel arall, mae amryw o ymarferion ymlacio ar gael ar CD neu mewn fformatau eraill.

Hyfforddiant ymlacio

Mae hyfforddiant ymlacio yn ffordd ddefnyddiol o leihau canlyniadau gorbryder a phanig.

Er bod ffyrdd di-rif o ymlacio, mae'r rhan fwyaf yn canolbwyntio ar dynhau ac ymlacio cyhyrau'r corff gam wrth gam.

Yn gyntaf, dewiswch amser pan fydd gennych 30 munud i'w neilltuo i'r dasg hon. Chwiliwch am ystafell dawel, diffoddwch eich ffôn a gwisgwch ddillad llac, cyfforddus. Gallwch wneud yr ymarfer mewn cadair gyfforddus neu'n gorwedd ar lawr.

Pan fyddwch yn gyfforddus, dechreuwch gyda'ch llaw dde. Caewch eich dwrn fel bod eich migyrnau'n wyn. Cadwch eich dwrn ynghau am bum eiliad a'i ryddhau ar unwaith.

Arhoswch am ddeg eiliad, yna gwnewch hyn eto.

Tynhewch flaen eich braich dde, gan gau eich dwrn a thynhau cyhyrau'ch braich. Cofiwch beidio â'i thynhau ormod. Daliwch hyn am bum eiliad a llaciwch y cyhyrau ar unwaith.

Arhoswch am ddeg eiliad, yna gwnewch hyn eto.

Tynhewch gyhyryn deuben (*biceps*) eich braich

dde, gan gau eich dwrn a phlygu'ch braich i ffurfio ongl 90 gradd. Canolbwyntiwch ar wneud i'ch cyhyryn deuben chwyddo gymaint ag y bo modd. Daliwch hwn am bum eiliad yna'i ryddhau ar unwaith.

Arhoswch am ddeg eiliad, yna gwnewch hyn eto.

Gwnewch yr ymarferion hyn eto gyda'r llaw chwith, a blaen a chyhyryn deuben eich braich chwith, gan gofio gwneud pob ymarfer ddwywaith, dal y cyhyrau'n dynn am bum eiliad, yna'u rhyddhau ar unwaith.

Nesaf, symudwch i'ch pen a'ch gwddf. Tynhewch gyhyrau eich llygaid. Caewch eich llygaid yn dynn. Daliwch hyn am bum eiliad a'u rhyddhau ar unwaith.

Arhoswch am ddeg eiliad, yna gwnewch hyn eto.

Tynhewch eich ceg trwy wasgu'ch genau gyda'i gilydd a chanolbwyntiwch ar wasgu'ch gwefusau gyda'i gilydd mor gadarn â phosibl. Ar yr un pryd byddwch yn sylwi eich bod yn tynhau eich llygaid. Daliwch hyn am bum eiliad yna'u rhyddhau ar unwaith.

Arhoswch am ddeg eiliad, yna gwnewch hyn eto.

Nawr canolbwyntiwch ar dynhau eich gwddf. Gwthiwch eich gên i lawr ychydig tuag at eich brest, ond heb ei chyffwrdd. Daliwch hyn am bum eiliad, yna rhyddhau ar unwaith.

Arhoswch am ddeg eiliad, yna gwnewch hyn eto.

Nesaf, ewch ymlaen at eich ysgwyddau a'ch cefn, gan wthio'ch ysgwyddau i fyny ychydig a thynhau eich gwddf. Teimlwch y cyhyrau'n tynhau ar draws eich ysgwyddau. Daliwch hyn am bum eiliad a'u rhyddhau ar unwaith.

Arhoswch am ddeg eiliad, yna gwnewch hyn eto.

Tynhewch eich ysgwyddau a'ch breichiau

trwy wthio eich breichiau i lawr, heb blygu eich gwddf. Canolbwyntiwch ar dynhau ar draws eich ysgwyddau. Daliwch hyn am bum eiliad a'u rhyddhau ar unwaith.

Arhoswch am ddeg eiliad, yna gwnewch hyn eto.

Tynhewch y cyhyrau yn eich cefn trwy wthio'ch penelinoedd at eich ochrau, gan dynnu eich ysgwyddau i lawr, dal eich gwddf yn dynn a gwthio eich pen i lawr tuag at eich brest. Drwy gydol yr amser, canolbwyntiwch ar dynhau'r cyhyrau ar draws eich cefn. Daliwch hyn am bum eiliad a'u rhyddhau ar unwaith.

Arhoswch am ddeg eiliad, yna gwnewch hyn eto.

Nawr ewch ymlaen at eich brest a'ch bol. Tynhewch gyhyrau eich brest trwy wthio eich ysgwyddau yn ôl, gwthio'ch penelinoedd i lawr i'ch gwasg a phwyso'ch pen yn ôl ychydig. Canolbwyntiwch ar ddal eich brest yn dynn fel casgen. Daliwch hyn am bum eiliad a'u rhyddhau ar unwaith.

Arhoswch am ddeg eiliad, yna gwnewch hyn eto.

Tynhewch gyhyrau eich stumog o'r cefn a thynnwch tuag at eich botwm bol. Daliwch hyn am bum eiliad a'u rhyddhau ar unwaith.

Arhoswch am ddeg eiliad, yna gwnewch hyn eto.

Nesaf, symudwch ymlaen at waelod eich corff a'ch coesau. Tynhewch eich cluniau a'ch ffolennau (*buttocks*) trwy wthio eich ffolennau i lawr a chanolbwyntiwch ar dynhau eich cluniau a'ch ffolennau gyda'i gilydd. Daliwch hyn am bum eiliad a'u rhyddhau ar unwaith.

Arhoswch am ddeg eiliad, yna gwnewch hyn eto.

Tynhewch groth eich coes dde trwy dynnu bysedd

eich troed tuag atoch, a pheidiwch â phlygu'ch pen-glin. Tynnwch fysedd eich troed yn ôl nes y gallwch chi eu teimlo'n tynnu'r holl ffordd i fyny cyhyrau croth eich coes. Daliwch hyn am bum eiliad yna'u rhyddhau ar unwaith.

Arhoswch am ddeg eiliad, yna gwnewch hyn eto.

Tynhewch eich troed dde trwy gyrlio bysedd eich troed, gan geisio cau bysedd eich troed fel dwrn. Daliwch hyn am bum eiliad a'u rhyddhau ar unwaith.

Arhoswch am ddeg eiliad, yna gwnewch hyn eto.

Ailadroddwch y drefn hon ar gyfer croth eich coes a'ch troed chwith.

Pan ddewch chi at y pwynt hwn, dechreuwch dynhau eich corff cyfan, gan ddechrau gyda'ch dwylo, gan symud ymlaen drwy'ch breichiau, yna'ch pen, gwddf, ysgwyddau, cefn, brest, stumog, ffolennau, cluniau, crothau eich coesau a'ch traed. Cymerwch ddeg eiliad i dynhau'r corff cyfan yn raddol. Daliwch hyn am bum eiliad, yna ymlacio.

Wrth i chi ymlacio, anadlwch allan gymaint ag y gallwch chi, yn araf. Cadwch eich llygaid ar gau a dywedwch 'tawel' wrthych chi'ch hun.

Gwnewch hyn bum gwaith eto, gan gofio gadael deg eiliad rhwng pob un.

Anadlu'n arafach

Nesaf, canolbwyntiwch ar anadlu'n arafach. Ceisiwch lenwi'ch holl frest ac, wrth i chi anadlu allan, dywedwch y gair 'tawel' yn ddistaw. Gadewch i'ch anadlu sefydlu rhythm naturiol ac yna ceisiwch ganolbwyntio ar olygfa dawel a digynnwrf.

Dychmygwch eich hun yn gorwedd ar draeth neu ar ddôl. Dychmygwch awyrgylch cynnes o'ch cwmpas. Ceisiwch ddychmygu arogleuon yr amgylchedd hwn. Canolbwyntiwch gymaint ag y gallwch ar y lle hwn ac ewch gyda'r llif gymaint ag y gallwch chi. Peidiwch â phoeni os byddwch chi'n cysgu, ond efallai y byddai'n werth gosod eich cloc larwm yn gyntaf!

Alcohol

Alcohol yw'r cyffur sy'n cael ei ddefnyddio amlaf yn ein cymdeithas ac i lawer, mae'r effeithiau yn ddymunol iawn ac yn wir, yn fuddiol.

Mae'n cael ei ddefnyddio'n aml yn ateb parod i orbryder, ond os caiff ei ddefnyddio'n ormodol, bydd alcohol yn gwneud eich gorbryder yn waeth o lawer ac yn arwain at gylch dieflig. Mae ymchwil wedi dangos ei bod hi'n bosibl bod hyd at 20 y cant o bobl ag agoraffobia yn defnyddio alcohol ar lefelau peryglus o uchel. Mae rhai arolygon wedi dangos bod problem ffobiâu neu banig gan gymaint ag un o bob tri sy'n cael eu derbyn i gyfleusterau trin alcoholiaeth.

Atebwch y cwestiynau canlynol am eich arferion yfed.

- Ydych chi'n yfed bob dydd?
- Ydy faint o alcohol rydych chi'n gallu'i oddef wedi newid? Ydych chi'n yfed mwy nag o'r blaen i gael yr un effaith?
- Ydych chi'n gallu yfed mwy neu lai o alcohol?
- Ydych chi'n teimlo'n euog oherwydd eich bod yn yfed?

- A oes gennych chi fylchau yn y cof?
- Ydy ffrindiau'n gwneud sylwadau ar faint rydych chi'n ei yfed?
- Ydych chi weithiau'n teimlo'n sigledig ar ôl sesiwn yfed drom?
- Ydych chi'n yfed mwy na'r terfyn diogel?

Mae rhywfaint o ddadlau ynglŷn â faint yn union yw'r terfyn yfed diogel. Fodd bynnag, fel canllaw bras, ac yn ôl cyngor y llywodraeth ar hyn o bryd, mae'n ddiogel i ddyn yfed rhwng 20 a 30 uned yr wythnos ac i fenyw yfed rhwng 15 ac 20 uned. Mae uned yn hanner peint o gwrw, mesur tafarn o wirodydd neu wydraid bach (125 ml) o win â 9 y cant o alcohol. Mae www.alcoholandyou.org.uk yn wefan ddefnyddiol iawn.

Os gwnaethoch chi ateb yn gadarnhaol i unrhyw un o'r cwestiynau uchod, mae'n rhaid i chi feddwl am yfed llai. Un o'r anawsterau mawr wrth ateb y cwestiynau'n onest yw bod y rhai sydd â phroblem alcohol, neu sydd efallai'n datblygu problem alcohol, yn aml yn ei gyfiawnhau ar sail eu hamgylchiadau. Efallai y byddant yn dweud, 'Fyddwn i ddim yn yfed cymaint pe bai fy mhennaeth yn garedicach â fi','Byddai unrhyw un yn yfed petaen nhw dan yr un pwysau â fi', neu 'Mae'n rhaid i mi yfed i helpu gyda fy mhroblem neu fy ngorbryder/iselder.'

Mae rhai egwyddorion pwysig y gallwch eu dilyn a fydd yn helpu i sicrhau bod eich yfed yn parhau i fod yn bleserus, heb ganlyniadau sy'n peri problemau, sef:

- Rhowch lwfans i chi'ch hun, heb fod yn fwy nag 20 uned yr wythnos os ydych chi'n ddyn, 15 uned os ydych chi'n fenyw.

- Anelwch bob amser at gael dau neu dri diwrnod, o leiaf, heb alcohol mewn unrhyw wythnos ac unwaith neu ddwy y flwyddyn, rhowch y gorau i alcohol am wythnos neu ddwy. Mae'r Grawys yn adeg da i rai.

- Gadewch ddigon o amser rhwng pob diod. Ceisiwch sicrhau na fyddwch byth yn yfed mwy nag un uned o fewn hanner awr. Os ydych chi mewn priodas neu barti sy'n para sawl awr, gwnewch hyn drwy yfed diodydd dialcohol rhwng y diodydd alcohol, neu rhowch ddŵr mwynol ar ben eich gwin neu lemonêd ar ben eich cwrw.

- Peidiwch byth ag yfed ar eich pen eich hun.

- Oni bai ei fod yn ddigwyddiad cymdeithasol gwahanol i'r arfer, peidiwch byth ag yfed yn ystod y dydd.

- Peidiwch ag yfed yn ystod oriau gwaith.

Ceisiwch lynu at yr egwyddorion hyn o ddifri. Defnyddiwch ddyddiadur i gofnodi faint rydych chi'n ei yfed a gwnewch hyn mor onest a chywir ag y gallwch chi. Os ydych chi'n dal i roi ateb cadarnhaol i'r cwestiynau uchod ar ôl tri mis, dylech yn bendant ofyn am gyngor meddygol neu fynd i un o'r canolfannau cynghori lleol ar alcohol. Mewn achosion mwy difrifol, efallai y bydd angen help Alcoholics Anonymous arnoch chi. Gallwch naill ai ymweld â'u gwefan – www.alcoholics-anonymous.org.uk – neu gallwch ddod o hyd i gyfeiriad eich grŵp AA lleol yn eich meddygfa, yn y llyfrgell neu yn y llyfr ffôn.

Deiet

Nid yw'n anghyffredin i'r rhai sy'n cael pyliau o banig fod â deiet gwael, ond gall patrwm o fwyta ar frys a deiet anghytbwys waethygu eich problem.

I rywun sydd eisoes dan straen, gall llawer o fraster neu siwgr wedi'i buro waethygu'r problemau oherwydd eu bod yn arwain at amrywiadau sydyn yn lefelau siwgr y gwaed. Yn wir, rydym yn gwybod ers sawl blwyddyn y gall lefelau siwgr gwaed rhai sy'n dioddef pyliau o banig dueddu i ostwng (hypoglycemia). Gallai hyn arwain at ragor o orbryder yn ei dro.

Mae rhai pobl â chyflyrau o orbryder hefyd yn bwyta eu prydau bwyd ar frys, gan achosi symptomau corfforol a phroblemau treulio tymor hir. Felly, mae'n werth ystyried y cyngor sy'n cael ei roi yn y rhestr hon.

- Cofiwch gymryd digon o amser i fwynhau'ch prydau – ceisiwch beidio â'u rhuthro. Neilltuwch o leiaf 30 munud i fwyta pryd o fwyd.
- Bwytewch yn arafach. Rhowch eich cyllell a'ch fforc i lawr rhwng pob cegaid, gan ganolbwyntio yn hytrach ar gnoi a mwynhau'r blas.
- Bwytewch ddigon o garbohydradau – pasta, bara, reis a thatws.
- Gofalwch fod digon o ffibr yn eich deiet

– bydd hyn yn eich helpu i deimlo eich bod wedi eich digoni am fwy o amser. Bwytewch garbohydradau heb eu puro, fel bara gwenith cyflawn neu fara garw, bwytewch datws gyda'u crwyn amdanyn nhw, ffa a chorbys, a ffrwythau sych a ffres fel byrbrydau.

- Peidiwch â bwyta bwydydd wedi'u puro, fel siwgr, bara gwyn a bwydydd cyflym.
- Bwytewch bum dogn o ffrwythau a llysiau ffres bob dydd.
- Bwytewch lai o fraster – coginiwch fwydydd dan y gril yn hytrach na'u ffrio, defnyddiwch laeth sgim yn hytrach na llaeth braster llawn a dewiswch gawsiau braster isel yn hytrach na mathau llawn braster. Fel arall, peidiwch â bwyta cawsiau braster llawn fwy nag unwaith neu ddwy yr wythnos.
- Ceisiwch fwyta tri phryd neu bedwar y dydd, gan sicrhau eich bod chi'n dechrau gyda brecwast da – mae ffrwythau a grawnfwyd yn dda!
- Peidiwch â bwyta byrbrydau, ond os oes rhaid i chi, bwytewch ffrwythau a llysiau (sych, wedi'u rhewi neu ffres).
- Bwytewch gyda rhywun arall os gallwch chi.
- Peidiwch â bwyta'ch pryd olaf yn rhy hwyr a gwnewch eich gorau i fynd am dro hamddenol ar ôl i chi fwyta.

Omega 3

Dros yr 20 mlynedd diwethaf, mae ymchwil i fetaboledd yr ymennydd wedi dangos ei bod hi'n debygol bod cysylltiad rhwng asidau brasterog hanfodol o'r enw Omega 3 ac iechyd meddwl gwell.

Mae'r asidau brasterog hyn mewn pysgod a sylwyd bod llai o achosion o salwch meddwl yn gyffredinol ymhlith cymunedau sy'n bwyta pysgod ar raddfa fawr.

Mae manteision Omega 3 i iechyd y galon yn hysbys ers nifer o flynyddoedd. Mae tystiolaeth gynyddol bellach yn dangos ei fod hefyd fel petai o fudd i bobl sydd ag iselder ysbryd a sgitsoffrenia.

Mae EPA Ethyl, ffurf grynodedig ar Omega 3, ar gael fel atchwanegyn dros y cownter o'r enw Veg EPA, ac mae'n gwbl rydd o unrhyw un o'r tocsinau sy'n halogi olew pysgod cyffredin.

Mae tystiolaeth glir iawn am y cysylltiad rhwng EPA ac iechyd meddwl da.

Rheoli amser

Mae llawer o bobl sydd â chyflyrau o orbryder yn teimlo pwysau mawr a brys a gallant deimlo'n bigog ac yn ddig iawn. Maen nhw'n aml fel petaen nhw'n ceisio gwneud mwy nag sy'n realistig a byth a hefyd yn ceisio rhoi'r chwart ychwanegol yna i mewn i'r potyn peint. Mae'r patrwm hwn yn amlwg yn arwain at lefelau uchel iawn o straen.

Dyma nifer o egwyddorion y dylech eu dilyn i sicrhau eich bod yn rheoli'ch amser yn effeithiol:

- Gosodwch nodau rhesymol a chyraeddadwy i chi'ch hun. Gosodwch rai ar gyfer y tymor byr, canolig a hir. Derbyniwch, fodd bynnag, na fyddwch efallai'n cyrraedd rhai o'ch nodau.

- Gwnewch yn siŵr fod eich nodau'n rhoi sylw i bob agwedd ar eich bywyd, nid dim ond dyletswyddau gwaith neu'r cartref. Cofiwch gynnwys eich hobïau a'ch diddordebau personol.

- Gosodwch flaenoriaethau dyddiol ac wythnosol. Ceisiwch restru'r holl bethau yr hoffech eu gwneud mewn wythnos ac yna penderfynwch pa rai sydd bwysicaf.

- Cofiwch na allwn ni fyth gyflawni popeth rydym yn dymuno'i gyflawni. Byddwch yn rhesymol ac yn realistig am y blaenoriaethau rydych chi'n eu gosod i chi'ch hun.

- Neilltuwch amser rhesymol i bob gweithgaredd gan ystyried unrhyw beth annisgwyl a allai darfu arnoch. Ceisiwch gynllunio pob dydd er mwyn i chi weithio ar eich blaenoriaethau, ond cofiwch fod bywyd yn aml yn taflu pethau annisgwyl i darfu arnoch. Felly, mae angen rhywfaint o hyblygrwydd.

Mae rheoli amser yn seiliedig ar egwyddorion synnwyr cyffredin syml fel hyn. Yr elfen sylfaenol gyntaf yw cydnabod eich bod efallai'n rhoi gormod o bwysau arnoch chi'ch hun. Mae'r rhan fwyaf o bobl â phroblemau rheoli amser yn rhoi'r pwysau arnyn nhw eu hunain yn hytrach na bod eraill yn gwneud hynny. Bydd cymryd y pwysau oddi arnoch chi'ch hun yn eich helpu i ymlacio mwy er mwyn i'ch tuedd i orbryderu leihau yn y pen draw.

9

Cloriannu'ch cynnydd

Y ffordd fwyaf dibynadwy o gloriannu'ch cynnydd yw defnyddio'ch diffiniadau o'ch problem a'ch targedau, eistedd gyda ffrind, partner neu gymar (neu gyd-therapydd) a phenderfynu faint o gynnydd rydych wedi'i wneud tuag at gyrraedd eich targedau.

Yn ogystal â hynny, yr hyn fydd yn mesur eich llwyddiant yn y pen draw fydd cadw cofnod o'ch ymddygiad o ddydd i ddydd mewn dyddiadur.

Roedd yr enghreifftiau o ddyddiaduron ar dudalennau 45–47 yn dangos graddfa gorbryder, yn amrywio o 0 i 8, i'ch helpu i gofnodi cryfder eich teimladau o orbryder. Mae newidiadau yn y sgorau hyn gydag amser hefyd yn eich galluogi i weld sut rydych chi wedi symud ymlaen. Ni ddylech ddisgwyl gostyngiad trawiadol yn eich graddfeydd gorbryder pan fyddwch yn dechrau eich rhaglen hunangymorth, ond os ydych chi'n wynebu'r sefyllfa ffobig yn rheolaidd, dylent leihau'n raddol.

Ar ôl i chi ddod i gysylltiad â'ch ofn ddeg gwaith, dyweder, ac os nad yw eich gorbryder wedi gostwng i bob pwrpas, mae angen i chi feddwl eto a yw'r sesiynau hyn yn cael eu cynnal yn y ffordd iawn ai peidio. Un rheswm cyffredin dros fethu â gwneud cynnydd yw nad yw eich sesiynau'n ddigon hir. Neu gallech newid ffocws eich cysylltiad, gan ganolbwyntio am gyfnod, efallai, ar y rhannau hynny o'ch cynllun sy'n fwy llwyddiannus a dychwelyd at y rhan(nau) anoddach pan fyddwch chi wedi cael mwy o lwyddiant.

Os nad ydych wedi bod yn cadw dyddiadur, edrychwch eto ar dudalennau 45–47, gweithiwch drwy'r pwyntiau ar ddiffinio eich problem a phenderfynwch beth yw eich targedau. Yna, gan ddefnyddio'r enghreiffitiau sydd wedi eu cynnwys, lluniwch ddyddiadur sy'n addas ar eich cyfer chi.

Casgliad

- Edrychwch ar eich targedau gwreiddiol.
- Cymerwch bob un yn ei dro ac aseswch pa gynnydd rydych chi wedi'i wneud.
- Peidiwch â phoeni gormod os ydych chi'n gwneud yn well mewn rhai meysydd nag eraill.
- Os oes yna faen tramgwydd penodol, gadewch lonydd iddo am gyfnod ac ewch yn ôl ato'n ddiweddarach.
- Dylech ddisgwyl gweld rhywfaint o welliant yng ngraddfeydd eich gorbryder, ond cofiwch ragdybio y gallai eich cynnydd fod yn araf ac y bydd yna adegau pan fyddwch chi'n cymryd cam yn ôl.

Y neges ganolog yw ei bod yn rhaid i chi ddyfalbarhau â'ch sesiynau cysylltiad a cheisio cadw at eich cynllun. Peidiwch ag ofni ailystyried eich rhestr o broblemau a thargedau ac addasu'ch cynllun os oes angen: yna cymerwch y camau priodol.

Casgliad: Gallwch, fe allwch!

Yn fy marn i, mae ofnau a ffobiâu yn rhan annatod o'r cyflwr dynol. Yn y Deyrnas Unedig, nid yw'r nifer o bobl sydd ag ofnau a ffobiâu ar lefel sy'n amharu ar eu bywydau pob dydd yn eu miloedd na'u cannoedd ar filoedd, ond yn eu miliynau. Mae'n amlwg na fydd hi byth yn bosibl darparu cymorth proffesiynol i'r rhain i gyd, hyd yn oed pe bai gennym ni'r systemau gofal iechyd mwyaf delfrydol.

Wedi dweud hynny, mae hi hefyd yn amlwg i mi, ar ôl 30 mlynedd a mwy o weithio yn y maes, fod gan lawer o bobl broblemau gorbryder, ond am ba reswm bynnag, nid ydynt yn dymuno cael triniaeth gan weithiwr proffesiynol. Yn fy marn i, i'r bobl hyn ac eraill, mae hunangymorth yn ddull o ddelio ag ofnau a ffobiâu nad yw wedi cael ei gydnabod yn ddigonol. Mae mwy a mwy o dystiolaeth ymchwil wedi dod i'r casgliad bod hunangymorth, i rai pobl, yn llawn mor effeithiol neu hyd yn oed yn fwy effeithiol nag ymyriadau proffesiynol gan unigolion sydd wedi'u hyfforddi'n drylwyr.

Rwy'n gwerthfawrogi na fydd yr holl awgrymiadau yn y llyfr hwn yn addas i bawb sydd ag ofnau a ffobiâu. Os mai dyna sy'n wir yn eich achos chi, byddwn yn awgrymu eich bod yn nodi pa rannau o'r llyfr a fu'n help i chi a chanolbwyntio ar yr adrannau hynny. Mae un peth yn hanfodol i ni ei gofio, fodd bynnag – mae dod i gysylltiad â'r hyn rydych yn ei ofni yn